Cariñosamente para
Isa & Eloy.
Esta novela escrita
en momentos complicados

Londres 12/3/22

SI SE PUEDE,
TENGO LA OPORTUNIDAD
O ME DEJAN

Walter Reed

SI SE PUEDE,
TENGO LA OPORTUNIDAD
O ME DEJAN

EDITORIAL
Letra Minúscula

Primera edición: abril de 2021
ISBN: 978-84-18640-93-3
Copyright © 2021 Walter Reed
Imagen de portada: Verónica Cunningham
Editado por Editorial Letra Minúscula
www.letraminuscula.com
contacto@letraminuscula.com

Walter Reed

Nació en Valparaíso, Chile, en 1951. De nacionalidad chileno-española, actualmente reside en Londres. Desde que tiene uso de razón, ha sido amante de la literatura, por lo que ha sido galardonado con varios premios literarios en Chile, España e Inglaterra.

Ha publicado dos libros: *Edwyn. C. Reed y el archivador rojo* (una biografía en España, 2010) y *Josep Louis the King* (un cuento infantil en Inglaterra, 2021). Esta novela es su tercer libro.

Tiene preparada una trilogía sobre su ciudad natal, Valparaíso:

- *Valparaíso, olor a mar azucarado.*
- *Valparaíso, mi secreto ahora es tuyo.*
- *Valparaíso y Eileen con su anillo de Mizpah.*

www.walter-reed.blog   info@walter-reed.blog
Socio 3284 de SECH (Sociedad de Escritores de Chile)

Índice

A mis antepasados: con quienes no compartí, a mis contemporáneos: con quienes comparto, y a mis futuros: con quienes no compartiré. Especialmente a mi esposa **Brenda Bonilla**, inspiradora del amor de cualquier personaje de mis historias.

Reflexión

Dum vires annique sinunt
Tolerăte labŏres:
I am věniet tăcǐto
Curva senecta pede.

(Mientras la firmeza de los años,
haré dura labor:
cuando los años viejos,
caminaré silencioso).

Prefacio

Toda la *realidad*, como toda la *fantasía*, nace en Londres. A partir de allí, comienza el andar, hacia el pasado, hacia el futuro, hacia el más allá. Bueno, se cuenta en la novela, pero lo más importante es que sepáis que no es por disgusto de la *realidad*, tampoco lo es por gusto de la *fantasía:* se debe dejar en claro. Y como la *realidad fantástica* no hace muy buenas migas con William, se debe inclinar por su *fantástica realidad*.

Cuando se dice todo esto, se hace referencia a la *fantasía*, a la *realidad*, a la *realidad fantástica* en general, pero no a *su fantasía*, a *su realidad* ni a *su realidad fantástica,* en particular. Por eso al contarse cosas vividas en el pasado, desandando el tiempo en los recuerdos, se debe hacer silenciosamente, para no romper el encanto del único lugar donde tales cosas pueden existir: en la mágica memoria. Los pasajes que afloran se envuelven de colores, muchos de ellos como polvillos creativos, como recuerdos de futuro, como trozos de madera pintados por el vómito de un tímido arcoíris.

La magia y los fantasmas se crean en la mente, cobran vida, cantan, encantan y desencantan, y sus corazones laten junto con los nuestros a cada instante, en cada soplo de imaginación vivida. Es entonces cuando debemos caminar en silencio, andando de puntillas y dialogando con ellos. Nos ayudan a recordar, con la cooperación de algún ser mágico, como yo, un *gnomo*, lo que *no se vivió*, como si se hubiese vivido. Somos nosotros, testigos del ayer, acaso del presente o de la eternidad.

Los gnomos disfrutamos con lo que nos cuentan los humanos, especialmente cuando estos seres humanos son niños; aunque creo que ciertamente nunca dejáis de ser niños del todo. Esta *fantástica realidad* os envuelve también a vosotros, los humanos, como seres vivientes, como a las plantas, como a la vida o como a la muerte. Yo, siendo el amigo secreto de William, al igual que todos los gnomos, tengo como misión ayudar y cuidar a los humanos desde que se gestan, antes de nacer. Son estos, murmullos para ser leídos; ¡no!, mejor, para ser vividos mientras se leen, ya que, al hacerlo, sentiréis los latidos de vuestros corazones junto a los suyos.

Gnomo Jowal

Jueves, 12 de marzo del 2020

William estaba caminando por Marble Arch hacia Oxford Circus. Era jueves. Se podría decir que era una rutina, una especie de liturgia. Pero ese jueves, 12 de marzo del 2020, venía algo cabizbajo. Y era importante, ya que hacía quince días que no se encontraba con su amigo Raúl. La última reunión la habían tenido el jueves, 27 de febrero; el jueves siguiente había sido 5 de marzo y él se sentía muy mal, así que se quedó en el departamento, pues le habían hecho la colonoscopía. Había ido tiempo atrás a hacerse un escáner al hígado, y en aquel momento venía de otra clínica cercana, tras someterse a un análisis de oxigenación, cuyo resultado había sido "mala oxigenación". Ya había dejado de beber alcohol desde el martes, 14 de diciembre del año anterior, cuando en el centro médico de cabecera le indicaron que debía hacerse un escáner. Estaba intentando comer mejor. No ya: arroz, pasta, carne; pasta, arroz, carne. Había comenzado con algo de fruta y un poco de verdura. Pero sus ciento diecinueve kilos estaban muy mal para sus 1,82 metros de estatura. Venía, cabeza gacha, al encuentro con su fiel amigo Raúl Schultzki, un chileno que, como él había nacido y se había criado y mal criado en el Cerro Alegre de Valparaíso, lugar adonde emigraron en el siglo XIX muchas familias europeas: en su caso, familia inglesa, en el de Raúl, judía alemana. Ese café siempre tenía una mesa en el altillo; en cualquier época del año, con lluvia o sin ella. Se pedía la consumición abajo y desde lo alto se podía ver a la gente que entraba y salía, o a los vehículos de la calle, entre los buses rojos y emblemáticos de dos pisos. También, a media distancia, se contemplaba ese Arco del Triunfo de Londres (Marble Arch), que pasaría a ser algo así como el de la avenida Brasil en Valparaíso, guardando las dimensiones. El de Chile, más pequeño, fue regalado por la Colonia Británica a la ciudad. Este hecho se produjo en 1910 al celebrarse el Centenario de la Independencia de Chile . Ya comentaré un poco acerca de esta ciudad: *Si se puede, tengo la oportunidad o me dejan.*

§

—¿Dejan? —le pareció oír a William a lo lejos. Un susurro, un murmullo apenas, pero de una voz que creyó familiar mientras revolvía el café con la cucharita. ¿Estaría soñando?

El telón de fondo a la vista era como un horizonte, el Hyde Park. Construido en 1637, y se dice pronto. Con cisnes y un gran lago. Sus ciento cuarenta hectáreas de extensión dan fe de ello.

William, un tanto aturdido, miró su taza de café humeante junto al muy aromático *kanelbullar*, delicatesen sueca que había seleccionado para merendar, ese exquisito rollo de suave masa y canela. Le pareció que la cucharita del café de nuevo le iba a decir algo onomatopéyicamente, mientras la dejaba descansar en el platillo. Podría haberse iniciado cierta discusión, aunque fuera silenciosa, imaginaria. Miró hacia abajo y vio que venía entrando Raúl. Desde ese ángulo superior, bastaba otear para verle la pelada muy circular sobre su negra cabellera; parecía un kipá.

§

—Hola, Raúl —le dije alegrándome de verlo para comentarle mis vicisitudes de salud, de las que él ya tenía conocimiento.

—¡Qué tal! —respondió con entusiasmo, dejando su café y su *cruasán*, el preferido acompañante del capuchino infalible a su paladar. Luego vendría el "apretón de manos", y el acostumbrado *puño-palma-puño*, con que ambos finalizábamos el saludo. Unos musulmanes, nos miraban críticamente desde la mesa contigua. Me dijo, en castellano:

—¡Qué mirarán tanto estos! Su *as-salam aleikom, la paz sea contigo*, lo comienzan tocándose la frente: el *tus recuerdos en mi memoria*. Luego la boca: el *tu nombre en mis labios*, para finalizar con el corazón: el *tu imagen en mi corazón*. Es mucho más *cuático* que nuestro saludo. —Raúl me pareció un tanto disgustado con los musulmanes.

Para bajarle el perfil al tema le dije:

—Nosotros los cristianos o católicos (nunca he sabido bien la diferencia, si es que la hay), nos persignamos: "En el nombre del Padre, y del Hijo y del Espíritu Santo, amén". — Pero quedé un tanto extrañado por el rostro ceñido que me puso. Finalizó diciendo con un tono de voz delator de que mi sospecha era cierta:

—¡No soy cristiano, soy JUDÍO! —No le dije nada, dejé pasar un momento, esperando a que se calmara, y lo hizo.

—Cuéntame. ¿Cómo has estado? —me preguntó cambiando de tema. Comenzó allí una especie de soliloquio o monólogo de mi parte, al que Raúl atendía seriamente. El ambiente estuvo mejor; aquellos de la mesa contigua se retiraron, y la ocuparon dos bellas jovencitas de la India. El camarero nos sirvió otro café, que le pagamos a él con una generosa propina, como diciéndole: "Déjenos conversar y no nos interrumpa". La música del local se prestaba para entablar un profundo diálogo, o monólogo, según se mire. Ya nos la sabíamos de memoria: Richard Clayderman, el pianista francés: "Balada para Adelina", "Love Story", "No llores por mí, Argentina", "A mi manera", "Para Elisa", "Titanic", una y otra vez.

—Te cuento —le dije—. Me he hecho muchos exámenes, cuyos resultados son: hígado graso, dos pólipos extraídos con una colonoscopía y un tumor de cuatro centímetros en el colon ascendente. Cirugía en el horizonte, en alrededor de una semana, más visita al hospital para exámenes de rigor y preparativos para la operación, una semana después.

—Ocurre, mi querido amigo William, que en este país son muy precavidos, y prefieren "prevenir que curar". Quédate tranquilo, estás en buenas manos. Cuídate mejor del virus coronavirus. A nuestra edad es muy complicado, aunque el primer ministro británico no lo tome, por ahora, muy en serio.

—Lo haré.

Nos quedamos un momento en silencio. Lo más probable era que ambos pensáramos en lo mismo, estaba "cagado" por la salud. Raúl no deseaba aumentar el *bajonearme* (o *deprimirme*, si prefieren); y yo, si decía algo, seguro se me saldrían las lágrimas.

—Estoy con el telón de fondo de la muerte. Cáncer en el intestino grueso. Lo que me temía, entre otras cosas menores. Tengo fecha de operación para el 25 de marzo. Este año 2020 no es mi año. Me gustaría viajar al pasado. Al futuro. Salir. No estar más acá. Y menos con la Covid-19. Tú sabes que no he conocido a Alejandra personalmente. Te leeré algo que escribí pensando en ella: "Aventura de Suecia: Estocolmo". Ahora ando siempre con un archivador y en él, todos mis hijos, mis escritos. Como sabes, soy "enchapado a la antigua", nada de *nubes* o de *pendrive*, lo mío es el papel impreso. Mis escritos, como te decía, ya no se publicarán por lo de mi cáncer, aunque sí se publicarían: *si se puede, tengo la oportunidad o me dejan.*

—Bien, William, te escucho.

Aventura de Suecia: Estocolmo

La lección de vida es: "sigue y persigue tu sueño, poquito a poco".

"*Poquito* es diminutivo de *poco*; luego *poco* es más que *poquito*; lo que significa que nos vamos acercando al sueño". En aquello pensaba, pensaba, pensaba. Solitario en una estupenda habitación de un humilde hotel sin estrellas, pero confortable para dos personas (la cama doble quedó medio desordenada, estaba solo). Como el protagonista de mi cuento "Busco mi historia": pensaba, pensaba, pensaba. La buscaré.

Dormí a duermevela, mientras mi móvil me deleitaba con unas zarzuelas españolas. La tenue luz de la mesita de noche me permitía estampar estas ideas en una libreta, con mi bolígrafo Parker (¡cómo no!, un dejo de pobre elegancia). Mi copa de vino tinto, de exquisita reserva de cepa chilena, humedecía mi guargüero.

La zarzuela decía: "Ay, mi morena, morena clara", con suave melodía.

Yo pensaba en una morena que venía a conocer a Estocolmo. Pero sin atención a mi visita, por falta de organización, no nos encontramos.

—Disfruta tu estada —me dijo el viento como un eco de la linda hermana, esa voz femenina de mi soledad.

—¡La disfrutaré! —le aseguré.

Él retumbaba en el vacío entre los bronquiolos y alvéolos pulmonares: "quien quiere, puede. Sigue y persigue tu sueño, poquito a poco".

Volví a escuchar el susurro del viento: "disfruta tu estada".

—Lo hago —le resople.

"Toda la vida, mi compañera, esperaré a mi morena", reía la zarzuela, mofándose de mi soledad.

Aplausos de la claque.

Yo seguía solo, pero ya no solitario. El viento y el eco eran mis interlocutores: "Sigue y persigue tu sueño, poquito a poco", decía uno y luego el otro; como máscaras de hechicerías africanas: *La señora Lebensbaum* venía a acompañarme ahora.

Los tambores y la lluvia daban un sonido sepulcral, infernal, en cada golpe con la acera y los truenos, cual tristeza del tiempo.

"Sigue y persigue tu sueño, poquito a poco", oía como una retahíla.

"Ve mirando los que verdaderamente están, y bebe una copa. Continúa observando los que no están, bebe otra copa. Cuando bebas la botella entera, sabrás que cada copa te acercó (ya que no eres un vagabundo, por saber perfectamente hacia a dónde diriges tus pasos) a tu sueño: encontrar a una compañera de vida. ¡Salud!".

—William, encontrémonos mañana, en aquella banca solitaria entre los árboles de Hyde Park, a las 18:00. Debemos conversar del pasado y del futuro, ¿te animas?

—Desde luego, querido amigo, lo necesito. Recordaremos conversaciones nuestras de tantas veces que nos hemos juntado. Será maravilloso.

—¡Perfecto!, no se hable más. Despidámonos.

§

Nos despedimos de la manera acostumbrada: *puño-palma-puño*. Raúl avanzó primero, yo lo seguí. Ahí estaba ese mismo gnomo que se me apareció en otra de mis novelas. Esa sería la voz que me pareció que decía algo y, al final, "dejan". Bueno, era una simple casualidad.

Teníamos la visión de flores y plantas situadas a la izquierda hasta llegar a la escalera. Recordé nuestra vida de niños. Sentí nuevamente ese aroma eterno y dulzón de entonces.

Miss Fischer y el abecedario

Estoy sintiendo ese aroma eterno que deja la madera barnizada de negro. El ambiente, desde el dintel de la mampara, pasando el pequeño vestíbulo que daba acceso tanto a la escalera hacia el piso superior, como a aquella habitación de cortinajes de felpa verde, visibles desde la ventana que daba al pequeño patio de la entrada, estaba todo impregnado de ese perfume dulzón. Esa era una *pieza* (o *cuarto,* si prefieren), que siempre permanecía con la llave puesta en su cerradura. Ello hacía crecer la curiosidad de la treintena de alumnos, niñas y niños de ese jardín infantil, entre los que me encontraba junto a Raúl. Cada vez que muchos de nosotros pasábamos frente a esa puerta, no podíamos dejar de tocar el dorado brillante del aro de la llave, girándola en nuestra mente.

Miss Fischer, la profesora, no parecía comprender nuestras intenciones. De origen anglo-alemán, pero de semblante alemán con un riguroso y estricto sentido de la reglamentación y el orden en todo tipo de cosas, era una mujer, a la sazón, de unos setenta años; cálculo hecho, ya que había sido educadora de un tío deportista, nadador y boxeador, unos seis lustros antes. Su aspecto también concordaba con esa edad: arrugada a más no poder, poseedora de una voz *ronqui-tísica*, debida en parte, seguramente, a su impenitente hecho de fumar. Los dedos índice y medio de su mano izquierda, amarillentos, también la dejaban en evidencia, pero nunca la vimos hacerlo. Tenía una piel muy blanca que dejaba traslucir sus huesos y venas. Sus manos estaban llenas de pecas y de unos granos negros en alto relieve: "Piel muerta", me había asegurado mi padre. Un gran conflicto para ir comprendiendo la vida y la muerte. Pensaba entonces que las personas se iban muriendo por partes corporales o nacían casi muertas, ya que yo tenía muchas pecas y creía que me ocurría lo mismo. Menuda trifulca hubo en casa para dejarme claro todo aquello. Miss Fischer, además, poseía unos ojos celestes muy llamativos, pero que se podían ver exclusivamente detrás de sus grandes y gruesas gafas. Su cabello era grisáceo y con un moño sujeto por una negra malla. Su vestimenta era casi de uniforme: zapatos negros con tacones gruesos y de media caña, una falda, gris o negra, a la altura de las canillas una blusa siempre blanca con encajes, y un chaleco de tonos pastel; y, si el tiempo lo requería, cuando salía a la lluvia, un sombrero y un impermeable marrón, una bufanda y guantes negros. Usaba en el dedo anular izquierdo un anillo de oro con una perla cultivada y llevaba un reloj de pulsera Longine de plata que emitía un tictac muchas veces más perceptible que el del reloj de pared de la sala de clases, ya que con sus indicaciones sobre el cuaderno, permitía que aquel reloj de pulsera estuviera en nuestros mismos oídos. Colgando de su cuello, portaba un collar con cuentas de perlas mallorquinas de la ciudad de Manacor, de donde es Rafael Nadal, el gran tenista español.

Sus dedos, de paleta, con unas uñas grandes y bien cortadas, barnizadas ligeramente para dar cierto brillo. Era impresionante constatar cómo podían sujetar aquellos trozos de lápices de colores y forma circular, y enseñar a todos nosotros el modo correcto de pintar *sin salirse de la figura*.

La habitación trasformada en aula había sido, probablemente, el comedor de aquella vivienda de paredes altas y ventanas de guillotina (vestigio de estilo inglés). El mobiliario consistía en una estantería con puertas de cristal, para poner libros; junto a ella, un papelero; y en el centro, una mesa grande y ovalada de roble americano y de barniz oscuro, con bancas alrededor, y una mesita pequeña pegada a la pared, entrando a la derecha, donde me sentaba yo con dos niños mellizos: Jorge y Jaime (Raúl se sentaba en la cabecera, junto a Pepa). Finalmente, inmediata a la única ventana, situada al lado izquierdo conforme se entraba, una mesa con dos sillas: una para Miss Fischer, con acceso para poder ver el patio trasero donde se encontraban los baños (o *las casitas*, si prefieren, así bautizadas por todos), y la otra para el pupilo al que le tocaba sentarse junto a ella para dar la lección o reforzar la enseñanza. Desde este ángulo, aquella rigurosa maestra nos tenía bajo total observación y controlaba la temperatura, subiendo o bajando aquella ventana de guillotina, con algo de esfuerzo adicional, ya que un lado del balancín tenía su cuerda cortada. Para mantenerla semiabierta, debía utilizar un trozo de madera dispuesto sobre la mesa al que situaba en forma vertical entre la parte inferior de la ventana y la parte inferior del marco.

Encima de aquel improvisado escritorio tenía los libros de clases: *El silabario hispanoamericano,* de Adrián Dufflocq Galdames con ilustraciones de Mario Silva Ossa, conocido como Coré, y *El ojo* de Claudio Matte; unos cuantos cuadernos; su inefable regla para golpear la *eminencia tenar* y la *eminencia hipotenar* de cualquiera de nosotros hasta que se volviera roja la palma de la mano y ardiera en su interior. Junto a todo esto, también tenía un libro de registro de notas generales y una lupa, por si le fallaba la vista. Aparte de sorda, también era algo ciega.

Cuando teníamos lección de lectura, nos sentaba junto a ella y con su lápiz apuntador nos iba marcando, con santa paciencia, dónde debíamos ir leyendo: PA-PE-PI-PO-PU; PA-PA. Letra a letra, sílaba a sílaba, pausadamente íbamos desmadejando los misterios de la lectura. Lo que en mi caso yo iba reforzando, cuando salíamos con mi padre en el Ford Mercury modelo 1946 del abuelito, leyendo los anuncios del camino. Ocurría al principio que no alcanzaba a leer ni una línea de los letreros hasta que repentinamente se me fue aclarando el panorama.

A veces Miss Fischer nos dejaba solos y salía al baño, a lo mejor a dar unas caladitas a su cigarrillo, ya que siempre regresaba masticando una pastilla de menta. Algunos de nosotros (yo el primero) hurgábamos en las cosas que tenía sobre su mesita y en una cartuchera de cuero para sus gafas, que cambiaba por otras de repuesto. Nunca supimos las razones, a no ser que fuera para limpiarlas, lo que hacía con un pañito celeste de seda, intercambiando los lentes sin mediar algo claro. Ahí era cuando mejor se le veían sus ojos azules. Al aproximarse no nos asustábamos ya que sus tacones la dejaban en evidencia desde lejos, y el oscuro linóleo de los suelos nos permitía conocer a cada momento su posición e ir tomando las previsiones del caso. Lo que más curiosidad nos daba era abrir su caja de cigarros habanos cubanos La Flor de Murias de Manuel Valle. Estaba abarrotada de pequeños trocitos de lápices de colores. Parecía que, en un día de lluvia con un tenue sol, se había formado un arcoíris y este había traspasado los cristales de la ventana para lanzar sobre esos trocitos de madera toda su furia de colores.

Nuestros padres nos compraban, primeramente, una cajita de lápices pequeños de seis colores, luego una de doce, hasta llegar a una caja de lápices grandes de veinticuatro colores. Algunos incluso traían del extranjero sofisticados conjuntos para pintar, que nunca mostraban ni prestaban, así como las gomas para borrar o los sacapuntas. Pero no era la cuestión del tamaño de los lápices lo que permitía un buen trabajo pictórico. "No importa el tamaño", se mofó un día mi padre socarronamente, cosa que he entendido con el correr del tiempo. Prefería utilizar para mis trabajos los lápices de Miss Fischer.

Los comienzos fueron muy difíciles. Nos iniciamos con los *palotes*: pequeñas rayitas, primero verticales, luego horizontales, enseguida oblicuas a un lado y al otro, hasta poder hacer figuritas perfectas: cuadrados, rombos, trapecios, combinados de colores. Parecía algo inútil, pero no lo era. Con los años estudié en la Escuela de Bellas Artes de Valparaíso, y ahí también continuamos con tipos de palotes, para soltar el pulso y hacer las líneas de Kandinsky. Al pintar se debía seguir un procedimiento: primero, las orillas circularmente para no salirse de los márgenes, y luego, rellenar las superficies interiores. Las figuras fueron haciéndose cada vez más sofisticadas y complicadas.

Los cuadernos debíamos tenerlos de manera impecable. Ninguna de las cuatro esquinas debía estar con sus extremos doblados, algo bastante dificultoso para los enanos descuidados que éramos a esa edad; pero todos lo logramos, ya fuera por convicción o doctrina (la regla, pararse en un costado mirando la pared o bien con los brazos extendidos y el bolso sobre ellos). También la ayuda de la técnica que teníamos para estos efectos eran los famosos *clips*: aquellos artilugios de alambres doblados, que muchas veces utilizamos uniéndolos como cadenetas para construirnos collares o pulseras; cosa que yo hacía en casa, en el despacho de mi padre, donde él escribía sus artículos de prensa. Debíamos poner uno en cada esquina de los cuadernos y para sacarlos a fin de dar vuelta la hoja, se le debía pedir autorización a Miss Fischer. Estas figuras se hacían siempre en los cuadernos de cuadros. Los de caligrafía nos servían para escribir, tanto en castellano como en inglés.

El avance del lenguaje era muy minucioso. Por ejemplo, Miss Fischer escribía la letra *a*, enseguida escribía otra *a*, y otra, pero cada vez más *débil* (o *flojito*, si prefieren); y acto seguido guiaba nuestra mano con la suya, hasta que finalmente, nosotros sabíamos qué debíamos continuar haciendo. Cuando me tocó hacer la letra *te*, me llevé el primer castigo con la regla en mis manos. ¡Cómo ardía! Pero lo logré. En casa, en vez de enfurecerse con Miss Fischer, aplaudieron su método. Eran tiempos en que la letra entraba con sangre. Todo el fin de semana estuve repitiendo frente a mi cuaderno: *para arriba, para abajo, redondo y palo*. Había aprendido la lección, y como la *te* es una de las últimas del abecedario, creo que no fui tan mal estudiante.

Gran expectación había en el estudio de la aritmética: sumas, restas, multiplicaciones y divisiones. Debería aclarar que este jardín infantil era un poco escuela también, ya que no había menores de cuatro años. *Kindergarten* preferían decirle los vecinos ingleses.

Para dar solución a estas incógnitas fuimos utilizando los llamados *ábacos;* unos artefactos de madera con barritas delgadas de hierro atravesadas paralelamente, donde iban unas bolas también de madera y pintadas de colores. En un principio tenía tres filas de bolas: la primera para las unidades, la segunda para las decenas y la tercera para las centenas. Por ellas estábamos auxiliados para resolver incógnitas. Si nos preguntaban: "Tengo diez manzanas y me como una, ¿cuántas me quedan?", ya podíamos dejar diez bolitas de unidades, quitarles una y sumar el resto: "nueve". ¡Qué sensación más deliciosa era ver los ábacos dispuestos frente a cada asiento! Parecía un estudio de Louis Pasteur, pero de laboratorio de la aritmética. Se conocía perfectamente cuando un alumno estaba más adelantado que otro, bastaba ver el ábaco frente a su asiento: si era de tres líneas de bolas, era un principiante, si era de más, había dejado de serlo y así sucesivamente. Estos útiles e ingeniosos instrumentos de aprendizaje quedaban noche y día en las mesas de Miss Fischer, como fieles testigos de que allí existía un *templo de estudio.* Luego se transformaban en un adorno más en las casas, hasta morir en un desván o sacarles las bolas de madera para hacer bolones rellenando el orificio con miga de pan o *plasticina (plastelina* o *plastilina,* si prefieren).

Daba tristeza ver castigados a dos de los nuestros (cuando no era uno mismo), uno en cada esquina, hasta el final del recreo mirando la pared. Con las uñas rasgábamos las espinas de las rosas del papel mural, que, en su dolor, lloraban trocitos de arcilla con un ruido seco y crepitante. Se tragaba sus lágrimas.

Las clases se iniciaban a las nueve de la mañana y terminaban a la una, con dos recreos. En la tarde comenzábamos a las dos y acabábamos a las cuatro y media, con un recreo. En la mañana se podía hacer *number one*, como llamaba mi Grannie, la madre de mi madre, a *hacer pis*; y en la tarde, *number two*, es decir, *pus*. Muchos nos retiramos con la ropa mojada y sucia, pues con frecuencia nuestros esfínteres se rebelaban contra la rígida reglamentación germana de Miss Fischer. Mi hermana mayor estaba con nosotros y cuidaba de mi hermano y de mí. Los mellizos eran dos muy temidos, pero con ella al cuidado, incluso podíamos salir a jugar en el recreo. Nos entreteníamos con el "corre el anillo"; el "corre, corre la guaraca", y el "a la tula", hasta que debíamos formar una larga fila, al escuchar la campanilla desde el interior: ¡El recreo había finalizado! Debíamos dejar descansar aquellas lilas, pensamientos y, mis preferidos, los coleos, en macetas situadas en los alféizares de las ventanas; y los cardenales (o *geranios*, si prefieren) y la lavanda, junto al pino que cubría toda la reja de entrada. Nuestro patio de juegos era un lugar privado y secreto, casi místico, cuidado y vigilado siempre por un gnomo de piedra: barbudo, con sombrero rojo y puntiagudo, algo jorobado. Gran amistad tendríamos a lo largo de mi vida. Aquella amistad, creí entonces, se iniciaba precisamente en ese patio de juegos, pero luego me enteré de que los gnomos tienen como misión el cuidado de un niño desde su gestación. Yo era el elegido de este gnomo, al que no se me ocurrió de momento qué nombre ponerle hasta que decidí finalmente llamarlo Jowal. Me sentía un afortunado.

Como Miss Fischer era muy sorda, cada vez que sonaba la campanilla del teléfono debía solicitar ayuda a uno de nosotros. Generalmente me lo pedía a mí, ya que era yo quien se encontraba más cerca de la puerta de salida y también quien le avisaba a grito partido, cuando el ¡riiing, riiing! estornudado del teléfono colgante nos interrumpía. Era un aparato situado entre nuestra sala de clases y aquella misteriosa habitación siempre cerrada. Más allá estaba la puerta de entrada y, al lado opuesto, la escalera hacia el piso superior. Debíamos subirnos a una banquilla para alcanzar el cono del teléfono y hablar. Con el tubo de audición en nuestras manos, se producían diálogos infantilmente útiles como este:

—¿Aló? (o ¿diga?, si prefieren) —preguntaba.

—Aló, soy Adriana, la mamá de los mellizos Jaime y Jorge —decía aquella mujer.

—Dice que es Adriana, la mamá de los mellizos Jaime y Jorge —repetía yo a Miss Fischer, quien se quedaba pensando como si intentara adivinar a quiénes se refería aquella mujer. Eran los únicos mellizos y, por lo tanto, mayores detalles se hacían innecesarios. Con el tiempo comprendí que su desconcierto se debía a que ella repetía en su mente los movimientos mi boca, hasta que estos movimientos se transformaran en el mensaje sonoro en sus oídos: problemas de la sordera.

—Dile que hola, que qué quiere —me indicaba que respondiera a Adriana.

—Dice que hola, que qué quiere.

—Dile que cuando salgan hoy de clases, que Jaime y Jorge se vayan con ella de regreso al jardín. Llegando de comprar el pan para su once (o *merienda,* si prefieren), que los niños se queden con ella, ya que no habrá nadie en nuestra casa. Yo los pasaré a recoger al jardín, luego.

Yo repetía, no sin cierta dificultad, aquel largo mensaje hasta que Miss Fischer se enteraba. Todos los que llamaban: familiares de los niños o padres, tenían paciencia por su sordera.

—Dile que bueno.

—Dice que bueno.

—Dile que chao y que gracias.

—Dice que chao (o *adiós,* si prefieren) y que gracias.

—Dile que igualmente.

—Dice que igualmente.

Y fin de la traducción.

Ni Miss Fischer ni la persona que hablaba con ella a través de cualquiera de nosotros, daban las gracias por nuestra ayuda de traducción. Nada. Como si los intérpretes no existiéramos.

Cada oportunidad en que se producía un llamado telefónico, la recepción de una llamada o cuando Miss Fischer deseaba comunicarse con un apoderado, se generaba un gran desorden y alboroto en la sala de clases. Si se trataba del último caso, le solicitaba ayuda a uno de los mayores, generalmente a mi hermana, la de más edad. El problema adicional era que, además, la profesora tenía muchas dificultades en sus ojos, y quien la ayudaba entonces debía conocer los números para poder discar el teléfono.

Uno de aquellos días, durante la larga espera a que regresaran de la llamada telefónica Miss Fischer y mi hermana, se produjo algo tan insólito e inesperado, como secreto y emocionante. Una niña, Pepa, se levantó su blusa y mostró su torso delgado y huesudo para, acto seguido, decir en voz alta: "Miren debajo de la mesa"; lo que, como autómatas, todos los niños y niñas hicimos, menos Raúl que estaba sentado junto a ella, en la cabecera del fondo de la mesa. Se había bajado los calzoncitos (o *braguitas,* si prefieren) y mostraba lo más secreto de su cuerpo: por donde hacía *number one.*

Todos emitieron sonidos guturales sordos, que no fueron captados desde el pasillo ni lograron interrumpir lo que allí se conversaba a través del auricular.

A mí no me llamó mayormente la atención ya que en casa mi madre nos bañaba en la misma tina (o *bañera,* si prefieren), o bien juntamente con mi hermano, o bien con una de mis hermanas; la combinación y periodicidad era algo que tan solo nuestra madre sabía. Jugábamos en la bañera con unos barquitos de corcho tirándonos agua con un jarrito de latón. Nos entreteníamos un mogollón. Esta costumbre de bañarse niños y niñas pequeños todos juntos, escuchaba a mi mamá, no era bien vista por las otras mamás de hábitos, diría, más auténticamente chilenos. Pero creo que tenía sus ventajas: no experimentábamos deseos de exhibicionismo, mirábamos los cuerpos del otro sexo como algo natural, y aprovechábamos mejor el agua caliente.

La niña para finalizar su actuación le dio un besito (o *piquito,* si prefieren) en los labios a Raúl, quien se sonrojó mucho. Desde allí en adelante se bromeaba en los recreos de que eran pololos (o *novios,* si prefieren). Jamás dijimos nada, ni nuestra hermana pudo averiguarlo. El patio era un lugar de máximo secreto. Raúl y Pepa jugaron mucho al *pillarse* y a otros entretenimientos juntos. ¡Qué casualidad!

Si teníamos un día lluvioso, debíamos utilizar para el recreo el patio frente a la ventana de guillotina situada junto a la mesa de Miss Fischer, lo que no nos agradaba mucho. Mientras nosotros tomábamos el emparedado (o *bocadillo,* si prefieren) hecho de mermelada, el plátano o el cacao con leche, ella aprovechaba para mirarnos a través de la ventana, saboreando su taza de té. Mucho control, nos parecía; no nos sentíamos libres para nuestros juegos. Todos la mirábamos de reojo.

§

Fue un rayo veloz este recuerdo. Desde el interior de aquel café debíamos dejar descansar a aquellas lilas, a los pensamientos, geranios, violetas africanas con su morado, a la lengua de suegra, muy larga, y al par de anturios con su rojo *maraco intenso*, y mis preferidas, los cóleos, siempre abundantes y coloridos, que cubrían toda la hilera de macetas junto a la balaustrada. Raúl era un experto en botánica, me ilustró al respecto. Ese era un lugar maravilloso, privado y secreto, casi místico, cuidado y vigilado siempre por ese gnomo de piedra barbudo con sombrero rojo y puntiagudo, algo jorobado. Gran amistad teníamos por mis frecuentes visitas al café, por el parecido con mi amigo, el gnomo Jowal, que me visitó esa tarde de lluvia en el jardín infantil de Miss Fisher, en el Cerro Alegre. Jugábamos en ese lugar, junto a una treintena de infantes, entre ellos, Raúl. Hicimos buena amistad. Aquella cercanía con mi amigo secreto, el gnomo Jowal, creí entonces, se reiniciaba precisamente en este café; ya que, al salir, de modo inconsciente, en mi fantasía le guiñé un ojo y me pareció que me sonreía. Me había dicho Raúl que los gnomos tienen como tarea el cuidado de una persona desde su gestación. Ese es su objetivo, proteger a un ser humano siempre. Se le aparece cobrando vida, en secreto, y nadie más puede verlo u oírlo, a no ser que él lo desee. Cuando el ser humano cuidado por su gnomo o *ángel de la guarda* lo invoca, este aparece. Entonces, yo sería o debería ser el elegido de este gnomo. Pero no importaba, era de piedra. Si hubiera sido real, con vida, me habría preocupado, significaría que mi vida estaba en peligro. Y con los malos resultados de mis informes médicos: pues ¡bajemos la cortina y vámonos!

Raúl ya iba descendiendo. Le guiñe el ojo al gnomo y este hizo lo mismo. Tuve que afirmarme muy fuertemente del pasamanos para no tambalearme. Fue un sentimiento ambivalente: alegría de reencontrarme con él y a la vez preocupación, ya que aquello significaba que me encontraba en una situación de salud peligrosa. No quise decirle nada a Raúl, lo habría preocupado. Sabía de los *ataques de exámenes* a los que me estaban sometiendo los médicos, en diferentes hospitales especialistas, y lo de mi cáncer. Me encontraba sentimentalmente peor por la ruptura con Alejandra, a quien aún no podía sacarme de la cabeza. Estaba muy deprimido. Raúl lo comprendía. ¡No! Preferí callar, y *mamarme* aquello en soledad. Cada vez estaba más ensimismado.

§

Caminé por la calle Oxford en dirección al Museo Británico. No deseaba irme aún al departamento. Necesitaba recuperarme, tomar aire. Pensar, pensar, pensar. Tenía mucho en qué pensar. Me sentía algo mareado. La conversación con Raúl, aunque me desahogó, me dejó un tanto *tururún* y lo del gnomo, con mi imaginación peor por lo que aquello anunciaba, la confirmación de mi mal estado de salud. Me dispuse a entrar a la tienda europea de ropa más barata: Danmark. Ya nada me cabía, debía comprarme algunas prendas de vestir. Me sentía gordo, me costaba agacharme. Mi dieta, aunque liviana, la iba haciendo de a poco. Mis pies me dolían; en las articulaciones de la cadera también tenía fuertes dolores. Los médicos me estaban analizando el hígado; la vista, para controlármela por la diabetes; la rodilla derecha; las caderas, por una posible artrosis; y, como broche de oro, el cáncer en los intestinos. Debía despejarme algo. Era el costo de vivir en soledad: una mala alimentación que me tenía con sobrepeso, y colesterol y triglicéridos altos. Esta vez no entraría al museo, lo haría al día siguiente, antes de reunirme con Raúl. Hoy no estaba de ánimo.

§

William se había levantado con mejor semblante. Luego de la ducha, un café con un bocadillo de jamón serrano. Se dispuso a salir. Iría en bus, no en metro, para hacer el viaje más largo y entretenido.

Estuvo vagando y divagando acerca de la vida, esa *cosa bella* para él y para muchos, que a veces se muestra esquiva. Sabía que, a sus años viejos, debía caminar silencioso para, de este modo, no despertar la duermevela de las malas vibras y no contagiarse con la adversidad presente en su existencia. Pero sabía también, y se daba cuenta de ello, que debía ganarle esta batalla a la adversidad, que no la guerra.

Mirando en el horizonte perdido de la incertidumbre y la duda del devenir, siempre es triste cuando se deja algo atrás, especialmente para seres como él, una persona muy emotiva. Pero también es grato saber que se inicia una nueva etapa. Una nueva aventura. Quizás algo que se deja atrás. Vida y costumbres tan propias abandonadas, vida y costumbres tan lejanamente recibidas. Esto, de cierta forma, es como quitarle años a la vida. No era su preocupación ser más joven; al contrario, era hacerse más viejo con menos años por vivir. Pero, reflexionaba William con los ojos llorosos, lo que se deja atrás, ¿realmente se tenía?, lo que se inicia ¿se tendrá de veras? Esta era la gran duda que había en su mente. Ni tan siquiera oía los timbres del anuncio de las paradas o salidas del bus. Debía ciertamente mirar al futuro, aunque fuera incierto. Lo cierto es siempre el pasado y en ese intercambio o paso de lo cierto a lo incierto, está el hoy. Se le iban aclarando sus dudas. Debía mirar a ese futuro, debía viajar al pasado. Le interesaba el futuro sentimental, que es donde pernoctan los sueños, esa almohada acompañada de un perfume femenino. Emociones abrigadas, así fueran de invierno; pero reales, vitales, presentes. Se preguntó si existía el futuro sentimental o acaso era invento suyo; suponía que sí y prefirió admitir que existía. Debería, sin embargo, mirarlo para no pensar que sería un sueño soñado despierto. Así podría enfrentar mejor esa incertidumbre y ese telón de fondo que eran la muerte y su mala salud.

Sus reflexiones lo llevaron, como siempre, a pensar en Alejandra.

"¿Existes tú o también fuiste un sueño? —le decía en su mente—. Si existes, no te veo, no te oigo, no te huelo, no te sueño. Eres pasado, con sonrisas y quebrantos, con placeres y llantos, con encuentros y desencuentros. Ya no serás para mí jamás. Aunque me gustaría que lo fueras si alguna vez te has entregado a mí en cuerpo y alma en tu diabólica imaginación. Eres el realismo de una estrella muerta, opaca, cuya luz igual alumbra. Eres lejana. Eres ida. Eres viajera cósmica como mi alma. A pesar de ello, me alegra pensar en que lo nuestro pudo haber sido. La esperanza y espera de mi alma está aparcada, como debe siempre estar el amor verdadero. Nunca consumarse, para no romper esa fuerza y encanto, esa magia y esa sublimidad. Aquí te evoco. Estás como una llama quemante y eterna de luz y calor dentro de mí. Mira dentro de ti, ¿me ves a mí? No, claro que no. Soy presuntuoso y esa fatuidad mía la he sufrido siempre. ¿Y si fuera que sí? No creo, son muchas las vivencias reales, llantos y gemidos de amor que me dicen lo contrario. Pienso que algún día se encontrarán nuestros espíritus; algún día, en esa eternidad. Como amores imposibles.

"Intenté acallar mis malos pensamientos. ¿Cómo? Fabricando pausas de silencio a base de cincel y martillo. Pero el reloj con su acompasado tictac, en contrapunto musical con los latidos de mi corazón, me impidió acercarme al abismo de mis pensares para vislumbrar, aunque fuera en un ciego atisbar, tu silueta deliciosa. Mientras tú, quizás, escondida en la vergüenza aplacada de alguna brillante mañana como esta, pretendías ocultar lo nuestro a la gente, a los duendes, a los gnomos y al viento. Tu mirada, sin embargo, escapó de tu rostro y se depositó en la retina de mis ojos; en un aterrizaje forzoso y elocuente. Te habías enamorado de mí sin desearlo, y yo, esclavo de tus caprichos, me evaporé para siempre en el olvido de tu recuerdo. Te amo".

Que tu vida

Que tu vida sea agradable,
Que la brisa refrescante.
Que tu sonrisa cambie
La tristeza que pudiera
Haberte dejado
Algún mal amante.

§

Museo Británico

En la visita que hice al Museo Británico, primeramente, aproveché de ver el moái *Hoa hakananai'a* ahí expuesto en la sala 24. Los ingleses lo desenterraron en 1868 y lo trajeron a Londres en la fragata HMS Topaze. Se hallaba en una gruta ceremonial de Easter Island (o *Isla de Pascua* o *Rapa Nui*, si prefieren), de espaldas al mar. La Isla de Pascua es chilena a partir de 1888. El primer europeo que puso los pies en ella fue el holandés Jakob Roggeveen en el año 1722.

Hacía poco tiempo, los pascuenses habían venido hasta Londres para recuperarlo, pero les fue mal, ya que los ingleses les dijeron que Chile no tenía ningún plan para proteger los moáis. Y es verdad. Tiene Rapa Nui, en privilegio, los *tolomiros, (todomiros* o *toromiros*, si prefieren). No me refiero al árbol, me refiero a esos tallados de madera con apariencia de un obelisco. Los de Pascua son de roca y no hay ningún plan sólido de cuidado, en nada.

En este museo quedé subyugado con todo lo egipcio y mi mente y mi imaginación viajaron a esa época y a esos lugares: pirámides, esfinge, arena, desierto, río Nilo, Moisés, Jesús, faraones, momias y *tutti quanti*. Me estaba convenciendo de que hubo seres superdotados que vinieron a la tierra en aquella época. Justamente estaba pensando en eso cuando detrás de una plataforma que sujetaba una escultura faraónica, apareció sonriendo, mi amigo secreto, el gnomo Jowal. Nos guiñamos un ojo, y, como todos saben, nuestro diálogo silencioso y telepático no se hizo esperar. Les cuento lo que ocurrió.

Posteriormente nos sentamos con mi amigo secreto, el gnomo Jowal, a conversar. Él quería saber de mí, de mis escritos, de mi vida en su ausencia; pues, al separarnos y yo no llamarlo, evocarlo o pensarlo mentalmente, se había producido la desvinculación de todo. Estábamos recuperando la amistad.

—Cuéntame de ti, amigo William —socarronamente me preguntó Jowal, intentando hacer que yo me distrajera y derivara mis pensamientos por otros senderos más fértiles. Sabía perfectamente que, aunque él había sido mi cuidador desde cuando me gestaron mis padres, si no teníamos contacto, nada sabría de mí en consecuencia. Sentados en una de las bancas del museo, de alto techo y escaleras solemnes, nos pusimos a conversar; más bien yo a monologarle. Primera de sus preguntas:

—¿Qué de tu vida sentimental? —Me sentí como interrogado, pero me concentré a fin de ser muy preciso en lo que le iba a decir. Lo haría con la ayuda de la magia, eso que yo no tenía; o de los dioses, eso que a mí también me faltaba. Allá iba, crucé mis dedos.

Quería ser lo más transparente que pudiera en mi relato. Le contaría de los principales latidos de mi corazón, me refiero a los asuntos sentimentales, pero capaz que me hubieran afectado a mi órgano en su *lumb-dumb*. Siempre me ha gustado comentar mi vida, *si se puede, tengo la oportunidad o me dejan.*

—En realidad, amigo Jowal, he tenido pocos andares femeninos, pero intensos. La primera es una mujer que, como siempre digo, "se esfumó en el aire cual voluta de humo". Ignorante.

—¿No fue al colegio?, ¿no sabía leer ni escribir?

—Bueno, Jowal; sabía deletrear. Fue al colegio, pero ignorante de las vivencias de la vida, desconocedora del ser humano en general y de mí, en particular.

—¿Tuvieron hijos?

—No, estaban reservados para otra mujer. No tuvimos de tanto intentarlo.

—¿Cómo así, William?

—Verás, Jowal, mucho sexo. Mis semillas no llegaban a adultas para cooperar con esa mitad necesaria para crear vida, crear una ilusión.

—Terminaron, pero ¿fuiste feliz?

—Feliz mientras duró. La dejé, me dejó. Lo dejamos. Nos alejamos.

—¿Rehiciste tu vida, William?

—Sí, con una mujer sabia, muy sabia.

—¿Profesional, máster?

—No, muy conocedora de las vivencias de la vida; conocedora del ser humano, en general, pero no de mí, en particular.

—¿Tuvieron hijos? Te noto cabizbajo.

—Sí, tres. Aquí un poema:

¡Que os vaya bien!

Cuando niño,
—Soñé—
Abrigado por mis padres,
Cuidando ellos mi ser.

Cuando joven,
—Viví—
Amado por el mundo
Y sin saber qué hacer.

Cuando adulto, mis hijos,
—Que son tres—
Cabalgaron a mi espalda,
Como fuerte terraplén,
Y ahora que soy viejo,
Sin hijos ni mujer,

Digo adiós,
—Me muero—
Con los deseos
Que a vosotros
Os vaya bien.

—Denotas un pesimismo. Tienes aspecto de deprimido. ¿Fuiste feliz?

—El pesimismo, amigo Jowal, no es más que un optimismo bien informado. Ahora, fui feliz mientras duró. La dejé, me dejó, lo dejamos. No nos alejamos, tenemos tres hijos en común. Creo que es mi mejor amiga.

—¿Y luego quiénes?

—Aquí te contaré: Una *mujer fantasma*, sin nombre y sin huella en mi vida que valga contar. Y dos grandes mujeres, amigas, nada más: Verónica y Alejandra Buckingham, las más bellas gemelas de Estocolmo o del mundo. Dejan huellas profundas.

§

Mujer fantasma, ahora no, mañana... espera

Tienes mujer, una sonrisa linda y perenne,
Una mirada tierna con unos ojos que envuelven.
Tu piel blanca es besada de pecas.
Quiero amarte toda.
Quiero sentir en mi boca
Tu cuerpo de muñeca.
Sin ti mi mundo muere de pena.
Con ternura me respondes:
Ahora no, mañana... espera.
Me visto de *pena-oscura* mientras
Acaricio tu rostro de princesa.
Con mi furia y tu permiso,
Te robo en fuga un beso.
Ahora no, mañana... espera.
Llegó por fin aquella mañana.
Mi alma, despierta, anhela.
Ahora tus labios junto a los míos,
Mientras nuestras lenguas juguetean.
Un sabor dulce y cálido nos enfrenta.
Lujuria, sinrazón, erotismo y pasión.
Con un beso te digo: "te amo".
Con otro me contestas: "paciencia".
Pero finalmente confiesas
Que mis besos te hicieron
volar, sentir, desear y soñar.
Y yo a ti te respondo:
Pues los tuyos me hicieron

Muchos otros olvidar.

Volver a sentir, renacer, y amar

§

En realidad, en su mundo solitario, entretenido por la cotidianidad de la vida: trabajo, nietos, familia, comer, dormir y soñar, esta mujer que llamó *fantasma,* en cierto sentido lo fue. Era, le decía, cristiana. Con ella se reencontró con ese Dios que es fiel, como él había aprendido. Oraban en los cultos dominicales, cantaban. Estuvieron haciendo los papeles para casarse a los tres meses de conocerse. ¡Una locura!, lo sabía William. Estaba subyugado. Cansado ya de mirar a las parejas de enamorados caminando, bajando las escaleras eléctricas del metro cogidos de la mano, dándose besos con ternura. Eso deseaba para él. Pero la duda le envolvía. Todo iba bien, o eso creía. Llegó la verdad: lo abandonó. Obviamente ella buscaba un árbol donde tener sombra, donde cobijarse de los avatares: cosas de residencia y demás. Todo lo que le había dicho era mentira. William sufrió mucho, muchísimo. Lloró desconsoladamente. Se había enamorado como un chaval: de cuerpo y alma. Sigue pensando que debe estar bien, incluso con la cuarentena. Le desea lo mejor, le hizo despertar: reír, soñar y sufrir, en una palabra, *amar.* Dios quedó en su vida, nuevamente a un lado. Ya lo había dejado en *stand-by* tiempo ha, al ver el "entorno económico y falso de los cristianos", especialmente de los líderes de las iglesias. En esta oportunidad, nuevamente Dios le mostró y demostró que había permitido que se enamorara de una supuesta cristiana, interesada, que le hizo llorar y sufrir, y, nuevamente, dudar de las mujeres. Pero no había solución. Le gustaban mucho, aunque le pusieran cadenas. William podría, con su resiliencia, superar este desamor.

Verónica

¿Cómo decir, sin que se oiga,
que me encantas?
¿Cómo acabar mi ensueño
sin dejar de soñarte?

Eres una artista... ya lo sé.
Eres muy bella... también lo sé.
Eres una dama que encanta,
Que se te ve y haces suspirar,
Cuando en el alma de cualquiera,
Tu imagen se levanta.

Eres mujer dulce de triste mirada.
Tú nunca olvidas a los tuyos:
Ya padres, ya hijos, ya amigos.
Estando como yo, con lágrimas resecas,
Vivimos sin querer.
Irradias alegría al que te mira,

¡Amiga querida, déjame decirte algo!
Que nada ni nadie
Perturbe tu encantadora alma
ni tu deliciosa figura de mujer.

Debes saber, finalmente
Que quien te sepa,
te va a querer
Y a adorar.

Era un juego un tanto peligroso en el que se estaba metiendo William. Su soledad, sus deseos de conversar, lo llevaron a contactar con la hermana gemela de Alejandra, Verónica. A decir verdad, eran ambas muy parecidas: bellas, simpáticas y atractivas. También políglotas: hablaban castellano, italiano, sueco e inglés. Habían estudiado en la misma universidad en Estocolmo. Su padre, embajador chileno en Suecia, las había criado en el mismo caminar. Y en igual sendero, William las conoció por las redes a través de amigos literatos. Fue un placer para él haber aceptado ambas solicitudes de amistad. Jamás se había arrepentido de hacerlo.

§

—Creo que te estás metiendo donde no te han llamado, *narrador omnisciente*. Cuando te llamen, ven. Por otro lado, nunca me he arrepentido de las cosas que he hecho; me he arrepentido de las que pude haber hecho y no hice. Ahora, si quieres, conversemos un poco acerca de esta maravillosa persona que es Verónica —barbulló William, en actitud de desafío.

—Y sigues. Muy bien, acepto tu desafío. —Está claro. Aquí va a arder Troya. Veremos si podemos entablar una conversación medianamente racional con William—: Verónica estaba un día en su casa, trabajando en su negocio de *catering*, y te lo comento a ver si recuerdas qué le dijiste —le planteé a William, desafiante.

—Claro que lo recuerdo; es más, te repetiré textualmente lo que le dije: "Deliciosa, deseo acompañarte en la cocina y comerme a la cocinera sobre la mesa".

—¿Y no te parece esa forma de expresarte, muy directa, muy osada con una dama a la que, aunque divorciada, conociste en una fugaz visita a Estocolmo?

—Pues no me parece. Sé leer la mente de las mujeres, no de todos, como tú; y de vez en cuando comprendo lo que les gusta. Y ella me dijo que extrañaba mis conversaciones y que soy "un hombre amoroso, encantador, muy guapo y muy buen amigo". Cada palabra suya, poquito a poco, como persiguiendo un sueño, me podía hacer pensar que había cierta conexión entre nosotros.

—Bien, eres un conquistador. Te recuerdo tus expresiones hacia ella: "eres real" (atacando a su hermana Alejandra, a la que no habías conocido, aunque a ella sí) "dulce, cariñosa, maravillosa *Pretty Woman*, tierna, preocupada por los demás". Y puedo continuar —señalé a modo de darle un zamarrón a William, quien no tardó en contraatacar.

—En el tiempo de los acontecimientos deberás saber que, aunque yo no soy como tú, puedo captar que una mujer se pueda enamorar de mí, y ya es gracia; debido a que aunque no soy adinerado, sí soy rico, zalamero y realista (no *irrealista*, aunque suene igual). Te diré algo. Tú jamás me podrás entender; lo mismo que los curas que aconsejan a las parejas respecto a sus relaciones de matrimonio, o al modo en que deben actuar con los hijos, si ellos ni se casan, ni son padres (bueno; prefiero no continuar con esta analogía). Tú, mi entrometido *relator omnisciente*, eres como los ángeles, y no te lo digo refiriéndome a que seas bueno o angelical, lo digo en el sentido de no tener sexo. Ni macho ni hembra. ¿Cómo puede llevarse eso por tanto tiempo? Pienso que es mejor el hermafroditismo, como el de los caracoles que producen espermios y óvulos. Pero sin ser ni macho ni hembra, tan omnisciente, y opinar con tanta soltura acerca de la actuación o pensamientos de los personajes de una novela, por decir lo menos, me resulta fatuo. ¿Cómo puedes entender a un hombre con mucha imaginación, que ve una simple foto de una bella mujer (que todas son bellas, por el sencillo hecho de ser mujeres) y que, con solo fijarse en el lugar donde se encuentran sus pezones, se le produzca una erección? No, no podrás entenderme. Mucho se explica de los narradores: que son testigos (*metadiegéticos*), primera y segunda persona (*intradiegéticos*), tercera persona (*extradiegéticos*), omniscientes, directivos, y un cuanto hay. Pero cuando cuenta algo, ¿es voz de mujer o de hombre la que el lector o la lectora imaginan al leer escuchando dentro de su imaginación? Pues te sorprenderá que es una voz masculina. He hecho una encuesta. Algunos señalan que si quien escribe la novela es hombre, se imaginan un relator, y si es mujer, una relatora. Hay otro ejemplo. En la ciudad de Valldemossa, en Palma de Mallorca, vivieron Chopin y su pareja escritora, quien para poder publicar debió utilizar un nombre masculino: George Sand. En este caso, quien escribe es una mujer con seudónimo de hombre. ¿Evoca el lector un relator masculino o femenino? Los que saben que la autora es mujer piensan que quien relata es mujer. Los que no lo saben, pues piensan que quien relata es hombre. Ahora, de una persona relatora en tercera persona (no en películas, cine, audios o GPS, medios en los que se oye si es mujer, hombre o niño con voz en *off*), en general todos piensan que es hombre. Y tú, a quien los lectores, en general, te piensan hombre, tú tan *omnisciente*, ¿sabes qué piensa todo el mundo cuando actúa, cuando está triste, si cuando vez a una bella mujer no tienes deseos de hombre, no se te produce una erección, o no se te *hace agua la boca*?

§

Ciertamente William tenía razón. Me quedé callado.

§

Le había pedido una foto a Pretty Woman y me la envió. Estaba a punto de acostarse, radiante, bella, (si fuera *el omnisciente* este), podría agregar. Verónica olía a jazmín, perfumada. Así fue y lo imaginé. Lo que no sé, me lo invento, ¡y ya! Le dije:

—Preciosa me has producido un quiebre en mi tranquilidad espiritual. —Afloró entonces el animal que llevo dentro, y seguí—: Qué ganas de sacarte ese bello camisón con mi boca, y despertar de este modo tu pasión oculta. —Como captan, tengo esa virtud de leer el pensamiento de las mujeres. Continué—: Te leo, te veo y te escucho y a cada momento anhelo conocer mejor tu alma de mujer. Y poco a poco lo voy consiguiendo.

Verónica me susurró:

—Espero que todo lo que hablemos quede entre nosotros. Un secreto ¡Shiiiit! No desearía tener problemas con Alejandra. Eres un loquillo a veces, pero me encantas. Y te agradezco mucho el libro que publicaste en Madrid. Lo leeré y te comento. Me siento desenamorada de mi ex y enamorada de... Jamás me metería en tu vida ni diría cosas que te comprometan. Soy real, como dices, y preocupada por la gente que quiero. No puedo ser egoísta, tengo mucha empatía. Tu alma como la mía sufren de lo mismo: de soledad.

"No me importa con quién lo hagas, a quién halagas, ni con quién lo rehagas. Me importa ser tu amiga de verdad. Somos amigos y eso se respeta.

—Pretty Woman, te he notado algo lejana. Ahora lo comprendo. Haces que uno se sienta muy bien contigo. Suerte de ese desconocido del cual te estás enamorando, (no está *el omnisciente*, pero no es necesario, lo sé). Nada diré a tu gemela. He hecho callar al relator en tercera persona: *el tercero*, que se entromete. En este diálogo, hay solamente sinceridad, ternura y paz de dos almas solitarias. Nunca cambies.

"Soy amante de los cementerios. Respeto la muerte y su esoterismo misterioso y encantador. Soy una tumba inamovible y secreta. Dos pensamientos que se intersecan en una misma idea, somos "yoytú".

A mi querida amiga Pretty Woman, la sigo queriendo. Leyó mi libro, reímos mucho. Nuestros contactos, aunque esporádicos, son profundos, no lejanos. Ella en Estocolmo con su empresa de *cáterin* y yo en Londres con mi pasión: escribir y otras hierbas. Hay un mensaje que jamás me decidí a enviarle: "Mis falanges, falanginas y falangetas, están desesperadas buscando esos bellos lugares de tu cuerpo: *tus montes, tus llanos y tus cavernas*". Desde luego, estas tres palabras: *montes, llanos* y *cavernas*, ya las había utilizado en un poema dedicado a Alejandra. ¡Pero es que son tan iguales físicamente estas gemelas! Soy un hombre leal, cuando el amor es compartido y real (no irreal, aunque suene igual, como siempre digo), no es, por lo tanto, de cachondeo y virtual. Tuve la suerte en un viaje a Suecia de conocer a Verónica, que es de verdad. Su hermana Alejandra, como acostumbraba, estaba en otra órbita (¿Italia?, ¿España?) con sus ex: italianos, chilenos o españoles. ¡Vaya uno a saber!

§

Alejandra

(Londres, lunes, 2 de enero de 2018, 04:05 horas)

¿Dónde estabas, mujer de cabellera bruna y greña,
de piel morena y mirada cierta?
Deseo recorrer tus montes,
planear en tus llanos

y sucumbir en tus cavernas.
Anhelo nadar en tu mar,
Besar mucho tus olas
Y juntos morir en tu arena.

La vida, este año, promete brisas nuevas,
de agua salada, de alegrías venideras.
De sueños soñados juntos,
En distancias más cortas,
De paz duradera.

Voy a tu encuentro,
Mujer de mis sueños,
De luna llena.
Tus brazos extiendes,
Me besa tu boca de miel,
Yo beso todos tus labios
Como una quimera.
Tu silencio me dice: "te quiero, te amo";
habla tu alma
En sueco, español o italiano.

Que se entere este mundo, familiares y amigos,
Que este hombre te ama, te desea,
En sus días y noches de soledad eterna.

Hermosa mujer de cabello rizado,
De piel atezada, de sonrisa eterna,
Mira a lo alto, hay una estrella

Que vigila tu risa y tu llanto,
Tus deseos ocultos,
De amor a tu vera.

§

Jueves, 27 de mayo de 2018

La importancia de la coma. La diferencia entre sexo y amor:
—Amor: "Muy dentro de *mi*, te quiero". / Sexo: "Muy dentro de *mi* te quiero" —me insinuó Alejandra.
—*Te quiero, muy dentro de mí* sirve para ambos. Pero ese *mí* lleva tilde —respondí a esta seductora mujer, amante de la literatura erótica. Una mujer valiente que dice y se atreve a escribir acerca de lo que realmente piensan las mujeres; y lo que yo adivino en ellas: la coma es una pequeña cosa, pero muy importante.
—Verdad. Eres exquisito. Me calientas cuando me corriges. Me mojas. La felicidad está en las pequeñas cosas —señaló picaronamente.
—¿Un pene pequeño?, pequeño pero juguetón —quise saber.
—No, me refería al clítoris. Te fuiste en la volada. Pequeñas cosas en el amor, detalles.
—Querida Alejandra, no creo en las pequeñas dosis de contacto en el amor; creo más bien en la continuidad. Lo demás es *turismo de amor*. Pero bueno, ¡está bien!

SI SE PUEDE, TENGO LA OPORTUNIDAD O ME DEJAN

§

Estuve un tanto alejado de los contactos, a ver qué pasaba con esta bella amiga. Ella no pudo más, me contactó.

—¿Cómo estás?

—Ahora mejor, sabiendo de ti. ¿Y tú?, mujer bella, deseosa, rica —le respondí lanzadamente.

—Eres exquisito, William.

—¿Crees que soy exquisito?

—Estoy segura. —Dicho por esta bella, era una insinuación, y la ataqué algo más.

—Un beso, ahí, donde más te guste y con lengua. La exquisita sos vos, no te olvides.

—¿Vos sos argentino? —bromeó.

—No, ¿viste? Boludo, nada más —bromeé.

—Boludo nunca —me provocó.

§

Fue transcurriendo el tiempo. Intercambiamos fotografías. La belleza de las facciones de Alejandra, ese rostro atractivo. La pureza y viveza de su mirada me parecieron un espectáculo de eternidad. Era imposible, por mucha imaginación que pudiera tener, que el inexorable tiempo desfigurara aquel encanto de juventud eterna y primaveral. ¡No! Era impensable, irremisible que se transformara en una hedionda sonrisa dejada por los gusanos, con rostro de calavera. Tampoco le creía a ella que ahora era una reencarnación; que, en la Edad Media, había sido una mujer condenada por bruja por la

Santa Inquisición en Sevilla. Debería averiguarlo algún día. ¿Cómo?, sospechaba que podría. Consultarlo con los dioses. ¿Cómo podría estar en aquella época para ayudarla? ¿Cómo sería posible que la consideraran bruja, engendro del infierno disfrazado de persona? ¿Se presumía que era la personificación de la vergüenza, de la deshonra y de todo lo malo de los humanos? Algo haría en su defensa: *Si se puede, tengo la oportunidad o me dejan.*

§

Miércoles, 4 de julio de 2018

—Alejandra, este 9 de julio, estarás de cumpleaños: cincuenta años. Una edad que una mujer jamás sobrepasa. Yo, el once, los sesenta y siete. En dos años más, sesenta y nueve. Si llego y algo no pasa en el camino. A ver si *duro* o se me pone *dura*. ¿Te gustaría celebrar conmigo mis sesenta y nueve, *a todo dar*, literalmente? Leí un letrero que decía: "Me deleita tu inteligencia, pero mándame fotos de tus tetas para estar seguro".

—Siempre me alegras el día con tus genialidades. Mira esta foto que te envío. Con carita de ángel, y yo soy un demonio, como sabrás William. Tengo pocas fotografías, pero buenas.

—A mí me dan deseos de verte así, sonriendo, como un ángel. Amarte y sentirte gemir como una diabla —dije, pero ciertamente esperaba otra foto.

Jueves, 5 de julio de 2018

—Dime, William, ¿soy interesante para ti?

—Mucho. No pasas inadvertida para mí. Deslumbras con tu belleza y alumbras con tu encanto, inteligencia y sabiduría. Enciendes a los hombres con tu poesía erótica y tu lujuria. Aunque la considero una herramienta literaria, algo intelectual. (¡Joder!, se me paró y estoy trabajando).

—¡Vaya!, eres muy prosaico, como me dice a mí mi mamá.

—Soy vulgar, Alejandra, verdad. Eso y mucho más.

—Pero es bueno, me encanta la *prosaiquez* inteligentemente usada.

Lunes, 9 de julio de 2018

—Feliz cumpleaños. Sé que no estás en Suecia. Lo intuyo —saludé a Alejandra, la mujer cometa.

—Gracias —fue su respuesta días después. Pasado ya mi cumpleaños.

§

Comenzaron a transcurrir los días y las noches. Con soles y lluvia, con lunas y estrellas. Mis pensamientos eran tan inextricables que hacían precipitarse y conjeturar lo que podría ocurrirle a Alejandra. La intuía cerca. Luego lejana. Oía plañideros sonidos de música oriental, también distantes, dentro de mi mente. Las calles oscuras de Londres, sus escondrijos bajo el quicio de algunos portales, con la complicidad de la oscuridad y de la luna. Donde se duerme, se ama, se vive, se muere. Lloré.

Ya en mi cama me dije: "!Silencio! ¡Shiiit!, que se quede soñando en el escondite de mi memoria, deseando en mi duermevela y conmemorando en mi despertar, donde repican las campanas de la alegría de mi alma, mientras aún, una lágrima desobediente invade una de mis mejillas". Ni siquiera opinaba de los escritos de Alejandra. Estaba ido.

§

—¿Qué pasa que no opinas de mis escritos?, ¿ya no quieres saber nada de mí?, ¿estás desilusionado de mí por no poder conocerte acá en Estocolmo o en Londres? —me preguntó Alejandra, angustiada.

—No. Me parece que las ilusiones acerca de una persona se las crea uno mismo en la mente, de acuerdo con las expectativas que se había forjado, y en comparación con lo que va ocurriendo en el día a día. Son absoluta elaboración personal. Si, comparándolo con la realidad, algo no va como uno lo imaginaba, pensaba o deseaba, ese margen podría desilusionar. Es asunto de uno y su mente. No se debe ni puede cambiar. Son órbitas distintas —le expliqué y añadí—: Me hubiera gustado celebrar mi cumpleaños juntos. Había pedido vacaciones en el trabajo por esa semana. ¿Ves?, pero la realidad fue otra. ¿Respondo en parte a tu pregunta? *Well then.*

—En cristiano, por favor —rogó.

—Bien, entonces. Lo tienes claro como el H2O. En el fondo se trata de haber notado el poco o nulo interés que tienes de conocerme —le recriminé.

§

Los cielos hicieron sonar trompetas, con cantares de melancolía dulces y melodiosos. Las noches oscuras, sin reflejo ni aliento. Partes de un todo. Es la muerte, ¿o bien la vida? No existe una sin la otra. No hay vida sin la muerte, cuyo final es la nada. Quizás la nada sea la perfección de la muerte. La vida es como el amor. Nace, vive, muere. Yo estaba pensando, pensando, pensando. Y de pronto quise escribir un poema titulado "Nada". Alejandra siempre me buscaba, y las mujeres en general, como Verónica. Cuando uno deja de contactarlas, se preocupan y salen al encuentro.

Nada

Fuiste mi canto, mi calma,
Mi ilusión de amor,
Mi tristeza del alma,
Mi nada

Me voy de este mundo
Con los hombros caídos.
Me voy silencioso,
Sin nada

Luché en esta vida,
Procuré ser feliz.
Todo mi esfuerzo
Fue nada.

Mi alma, silenciosa, esforzada,
Mi nada, sin nada, fue nada.

§

—¿Estás? ¿Qué es el amor o la pasión para ti? —Sabía Alejandra que, para reanudar el contacto, un camino infalible conmigo era comenzar con una pregunta. Me conocía.

—El amor es el kindergarten de la pasión, la antesala. La pasión es el *teatro de operaciones*. Viene a ser ese caballo desbocado, con olores a sexo y sudor que emanan de los cuerpos —le respondí seriamente.

—Pero mis escritos, algunos los califican de pornográficos.

—Tú escribes literatura, no pornografía; pensamientos eróticos para adultos. Los hombres al leerte, *erectamos*, no *eruptamos* (que no existe la palabra) ni *eructamos*, que no es lo mismo. La palabra inventada ahora nos produce una erección o, por lo menos, *se nos hace agua la boca*. Y si te leen mujeres, se mojan: vida y muerte —le dije, convencido, y para que no decayera y siguiera escribiendo.

—Mmmm. Se puede decir que la muerte no cesa. ¿Es una verdad de Perogrullo? —me preguntó.

—Es algo obvio. Todos sabemos que en nuestra vida, en nuestra *obra de teatro,* tenemos ese telón de fondo que pasaría a ser la muerte. Cuando hacemos *mutis por el foro,* cuando la puerta se abre, pasamos de esta vida a la *divina eternidad,* como María Luisa, una dama de un cuento mío titulado "Busco mi historia". ¡Ah!, Pedro Grullo es toda otra historia.

—¿Sabes, William? Tú eres la única persona con la que estoy segura de que, de cualquier cosa que hable, va a saber algo. Eres admirable.

—¡Nooooo!, "sólo sé que nada sé" —dije emulando a Sócrates y agregué—: *de eso no estoy seguro.* Lo que no sé, me lo invento. Es mi *licencia literaria.* Pero el gusto por la lectura ayuda, lo sabes. Te digo: eres la única mujer políglota de estos días, que conozco que sabe sueco, italiano, inglés y castellano, y que le gusta buscar y escudriñar los intrincados secretos de nuestra hermosa lengua.

—Eres una joya de hombre. Dos besos para ti.

—Alejandra, creo que con un beso tuyo llegaría al firmamento; más allá de las mismas estrellas. Supongo que el segundo beso tuyo será para el viaje del retorno. Alguien me habló, no recuerdo quien, de que yo haría dos viajes. Estos viajes serán los que me anunció una pitonisa, a fin de salvarme de quedar transformado en un esperpento humano perdido en el cosmos. Algún día, no sé cómo ni cuándo, cobraré aquellos besos encantados y encantadores.

"De todos modos, mejor que no nos conozcamos personalmente, te llevarías un chasco. Aun así, ¿podremos conocernos en septiembre? Es la fiesta de la colonia chilena en Londres, para celebrar el 18, día de la independencia respecto a España.

—Creo que en septiembre es un poco difícil, pero en noviembre sí. Si todavía quieres.

§

Viernes, 31 de agosto de 2018

—No adivino el futuro, pero conozco el presente y sé del pasado. Veremos. Un beso. Te envío algunas acotaciones de tu artículo "Feminazis". Me parecen mujeres estúpidas. A las mujeres no les gusta que les lean el pensamiento, creen que aquello es patrimonio exclusivo de su sexo. Pero sabrás que los hombres, en general, también tenemos hormonas femeninas: estrógenos, testosterona... no sé cuáles, ni me importa. Yo, en particular, sé leer el pensamiento de las mujeres. Por ello he tenido siempre problemas cuando se aburren con uno por no poder hacer ellas cosas a hurtadillas y por sentirse siempre acosadas, *pilladas*. Puedo saber cuándo desean o están entusiasmadas con otro. Además, y como si fuera poco, sé cuándo quieren tener sexo conmigo (en tu caso, sexo platónico). Te dije anteriormente: "la vida y el amor se parecen: nacen, viven y fallecen". Una novela tiene un inicio, que debe ser atractivo para el lector, a fin de que continúe leyendo. Una vida, un desarrollo creciente, bien estructurado; comenzando donde se estime mejor, con viajes al pasado, al presente o al futuro; una bien hilada combinación de sus elementos, y, por último, un final sorpresivo que te trastoque el alma, que te haga ver su mensaje. Es como una vida, la tuya, la mía, la de cualquiera. Yo te adivino.

—A mí me encanta que me adivinen. Gracias por la eterna ayuda, me fascina sobremanera que me corrijas. Me calientas. Me mojas. Hombre exquisito.

—Te mando un beso ahí. Para que se te alivie la calentura.

—No se me alivia, muy por el contrario, me aumenta —replicó. Al parecer, la tenía a cien. Y tan lejos físicamente uno de otro. Me animé a aconsejarle un remedio.

—Te recomendaré un medicamento oriental. Seguro que nunca te lo han propuesto. Inténtalo para aliviar la calentura: "acupuntura de penes".

—No, no me lo habían dicho antes. Duerme y sueña conmigo.

§

Lo hice, pero desperté. Interrumpí mi propio sueño con una carraspera y continué soñando con ella, en medio de aquellos obstáculos invisibles que nos impiden un buen soñar. Para luego tener la realización de aquel deseo profundo y bello de amarla, al igual que el mejor fenómeno onírico permitido por *Morfeo. La solución estaba en mis manos.* Como Alejandra solía decir (me).

En un comienzo, fuimos como animales entregados en argumentada discusión: "no te entiendo"; "me confundes"; "eres raro"; "te dejo libre". De pronto callamos y comenzamos a amarnos. Nos transformamos, del eco lastimoso del silencio nocturno y de dos sombras vivientes mortíferas de desconsuelo, en dos pensamientos que se entrecruzaban en la misma idea: el amor; y fuimos felices. Esto se lo relaté a Alejandra. Me contestó:

—No me hubiera gustado que ese hermoso sueño hubiera sido con otra.

Septiembre de 2018

—Eres celosa, al parecer, linda Alejandra.

—Mi amor, no soy celosa. No suelo demostrar celos.

—Alejandra es que tú tienes un harén (o *harem*, si prefieren) de admiradores. No puedes demostrar interés especial por alguien. Tus gustos se diluyen. Ni tú lo tienes claro. No actúas en consecuencia (y lo digo también por mí). Por otro lado, si dices: "No suelo demostrar celos", es que, aun teniéndolos, no los muestras ni demuestras. Pero están ahí. Tienes el poder de manejarlos. ¡Ah!, me has dicho "mi amor", ya te has equivocado.

—No hay yerro. Te he dicho a ti "mi amor William". Yo mostré interés por ti, pero tú desapareces sin decir nada y vuelves después como si nada hubiera pasado. Me desconciertas. He sufrido en muchos ámbitos y no quiero sufrir en el amor si lo puedo evitar. Te pareceré muy segura de mí misma, pero en realidad no es así.

—La verdad es que no desaparecía, me echaba a un lado por tus *viajes de estudio de italiano a Italia*. No son celos de mi parte tampoco. Es sencillamente dejar tu espacio libre, a tu ritmo; tu quehacer y demostración de interés sin agobio, lo que no es *mandarte a hacer puñetas*. —No pude contenerme.

—¿No me decías que yo era muy celosa?

—Aunque pareciera una contradicción, Alejandra, lo eres. Cuando, como debe ser, tienes real interés por alguien, lo demás es cantidad, no calidad. Y *a mí, que admiro en ti lo que veo, se me nubla el entendimiento con tu titubeo.* Por lo que mi *hacer mutis por el foro* no es más que una autodefensa, también, para no sufrir de amor y centrarme en espíritus reales, de interés mutuo, más que en dubitativos juegos del ego, encendido por esa "cantidad que no calidad" de chispas que iluminan el caminar noctámbulo del temor y la desazón de almas vagabundas (que no perdidas). Estoy nuevamente pensando lo conveniente de traspasar esa puerta imperceptible del escenario de nuestra vida. Un besito.

—Un besito.

—Te envío, Alejandra, una foto donde salen palabras chilenas en desuso; sé que te gustará, eres chilena.

"Catre, chuñuco, chalina, puchacay, pichanga, hecho güilas, aguaite, biógrafo, chaucha, pituco, curiche, pichocaluga, menjunje, contumelia, choriflai, la pelela, julepe, cachivache, ñauca, guarifaifa, ecolecuá, a la chuña, penca, cuma...".

—Me encantan los chilenismos antiguos: *"góndola, achacao, enchulao..."*

§

Domingo, 14 de octubre de 2018

—Alejandra, la palabra *pichanga* y la opinión tuya acerca de la nota que puse de Piñera, presidente de Chile, y de Donald Trump, me inspiraron para escribir un artículo que llamé "Pichanga política"; sabiendo que una *pichanga* consiste en poner en un plato una variedad de cosas para comer; pero también es un partido de fútbol informal jugado por chavales en las barriadas: como arco, bolsones de colegio, y como pelota, ropa enrollada. Bien informal.

—William, considero que son pobres payasos y los que piensan como ellos. También opino lo que quiera. Mándame ese artículo antes de ponerlo en tu muro, por favor.

—¡Uf! ¡Cómo tenemos el patio! ¡Aquí va!

§

Pichanga Política

Alguien me dijo: "Piñera es un payaso, y los que piensen como él, también lo son".

Bueno, no sé cómo piensa Piñera. A veces me da la impresión de que actúa sin pensar: sobre Venezuela, tiene un discurso; sobre China, otro diametralmente opuesto. Su decir y hacer pareciera más motivado por el oportunismo y la coyuntura político-económica. Sí, es mujer; no se enfaden las *feminazis*, y por protestar en mi contra, me muestren su *culote* peludo. Les advierto, y quien avisa no es traidor, de que, a pesar de mis años, con un poco de maña e imaginación, algo podré hacer con aquella muestra.

Ella, para centrarnos, no sabe cómo puedo ser yo así, demuestra que nada sabe de *pichangas políticas,* en general, y de mí, en particular. Y si lee esto, o me perdona o me condena. En cualquier caso, de Piñera no sé mucho: su primer gobierno, aceptable. El segundo, hasta el momento, por las mismas; pero en el futuro inmediato, ya veremos. De Talca, París y Londres (como dicen los talquinos, "las tres ciudades más importantes del orbe") poco sé para opinar con propiedad, pensando en el desfalco financiero que hizo él en el banco de Talca.

A las madres (feliz día a todas ellas), para asegurar el futuro de sus hijos, les deben recomendar hacerse políticos, aunque haya que mamarse esas tediosas reuniones de partidos y cámaras aburridas. Compañero va, compañero viene. Apoyo, objeción. Finalmente, el dueño de la pelota (o *balón,* si prefieren), gana. Si no, no hay pichanga. Otra alternativa es que sean evangélicos. Amén, aleluya, en el nombre del Señor, y como saben, se mezclan intereses de padres a hijos, de pastores a políticos. Y si hay problemas, es el diablo el que metió su cola: jamás los pastores y su equipo de creyentes. Y los pobres ilusos, diezman y diezman.

También podrían los hijos ser cantantes. Vestirse de argonautas, con antena y todo, para captar mejor los mensajes subliminales de los adversarios políticos. Ejemplo claro es Florcita Motuda, el famoso excantante chileno y ahora diputado de la república. Algo del reino vegetal, nada del reino animal; de moda y vegano al fin de cuentas.

Estos políticos, hijos de políticos, nietos de políticos son siempre los mismos: *gente linda*.

La otra alternativa es que sean militares. Con aspiraciones a jefaturas, no de la tropa; verdaderos ganadores mandado por órdenes superiores, tan superiores que a veces se creen con el poder de Dios: decidir quién merece la vida o la muerte. Tal arrogancia es permitida por los políticos. Como dije antes, están relacionados: familias, intereses, economía y poder. Debo hacer hincapié: *no hablo de los militares antiguos, los de la independencia de Chile, los soldados* de O'Higgins, el padre e inventor de la patria llamada Chile. Aún hoy cuentan historias bélicas de *chozno-abuelos*. Con saludos valientes en la frente. Mostrando mapas de sangre de luchas en igualdad de condiciones con soldados de intereses distintos: valerosos soldados chilenos, enfrentando a valerosos soldados españoles. No como ahora, una casta de profesionales corruptos, aprovechados, cuyo único ejemplo de lucha lo han tenido contra propios chilenos civiles que piensan diferente. Llenos de medallitas y pamplinas *al valor*, protocolos e himnos como los curas de la Iglesia Católica con sus ritos, que parecen satánicos, ya que están *de capitán a marinero,* perdón, *de obispos a monaguillos,* encubriendo maldades humanas de ellos mismos. Cuando digo *casta,* no me refiero a *La casta Susana*, aquella película franco-española, pero casta finalmente.

Yo voté por Bachelet, la segunda vez que se presentó, en segunda vuelta; pero fue, al parecer, un total desacierto, igual que cuando voté por Allende, amigo de mi padre. Estaba mal acompañado, aseguraba mi progenitor en su defensa.

La pichanga continúa. *No hablo de las pelotas, hablo de los pelotudos*. Me han insultado de momio facho, de comunista *conchetuma*, ese gran insulto que se dice algo diferente en España: "Tu madre es una santa, pero tú eres un hijo de perra", y otros epítetos pintorescos que los guardo como un tesoro personal y para un estudio sociológico de la raza humana *chilensis*, sumamente inculta, mediocre y grosera, muchísimas de las veces. Desde luego, el absolutismo no me va. Los izquierdistas lo son. Creen tener siempre la razón. Los Castros tienen democracia, como Maduro; aunque no desconozco el interés de China, Rusia y USA por el petróleo venezolano.

USA es imperialista moderno, interesado en los bienes foráneos, ataca con sus bloqueos. Tenemos, sin embargo, como el *jet set criollo,* versiones chilenas de oportunistas. Cambian según calienta el sol: recuerdo a Piñera y sus opiniones acerca de Venezuela y China. Estos compatriotas se cobijan y luchan contra el calor debajo de algún árbol que les dé sombra, no importa del color que sea, si da sombra y cobijo seguro y rentable. Recuerdo al expresidente Lagos, quien despotricaba contra el imperialismo yanqui y se fue a los *Estados Juntos*, donde fue galardonado en universidades como doctor *honoris causa*. Su hijo ya va haciendo carrera; aunque ha demostrado desconocer nuestro baile nacional: la cueca. No la baila, ni menos es educado al hablar español, pues dice muchas veces exabruptos en entrevistas televisivas (espero que el inglés le resulte, ya que nació en Estados Unidos). La *pichanga política* continúa. Hay cambios, a veces, generacionales, otros eternos como el de Andrés Zaldívar, el eterno parlamentario. *Las pelotas son diferentes, los pelotudos, los mismos.* Recuerdo el poema "El gato", del italiano Trilussa, que en su parte final dice:

> Porque soy socialista en el ayuno,
> Pero comiendo, soy conservador.

Soy de libre sentir. Critico lo malo y alabo lo bueno, según mi parecer, venga de donde venga. Por ello he sido llamado, como dije, *momio facho* o *comunista conchetuma* (ya saben, las otras apreciaciones las guardo como un tesoro o como el secreto de una receta mágica de un máster en cocina lingüística).

Odio el absolutismo y esas opiniones de mayoría o de bloques políticos. Recuerdo el dilema del heliocentrismo de Galileo Galilei, condenado al exilio por la Inquisición. Cuando escribo en redes, algunos leen, otros comparten, los menos insultan, y también los hay que ni me entienden. Sirvan estos ensayos para alimentar el proyecto de un sociólogo.

La sociedad está *apichangada.* El que tiene, más desea y mira en menos al que poco o nada posee económicamente. Es esta *etnia superior,* muchas veces de gente mediocre, pero adinerada. Los que mucho reciben por su trabajo (que no ganan), son los peores; tienen mucha falta de empatía y ese "la vaca nunca se acuerda que fue ternera". Como me dijo un amigo negro de Cabo Verde: "Hermano, no hay *pior explotador* de negros que un mismo negro", y le creo. Se transforman quienes pertenecen a esta clase social, en parias de la sociedad. Jubilados que ni alcanzan a sobrevivir, que no vivir. Detención en los metros y calles a vendedores ambulantes por infringir la ley y vender en lugares públicos sin autorización; defendiendo, obviamente, a los locales establecidos, su competencia natural pero que paga su patente municipal. La solución de los problemas de Chile no es esa. Es saber repartir el ingreso de Chile de forma equitativa, justa, para que los jóvenes también puedan soñar con un futuro mejor. Terminaría de este modo tanta delincuencia. La Revolución Francesa, con los *Luises* privilegiados y con su modelo de opresión sobre las clases no pudientes, me recuerda a Chile. Otrora los franceses guillotinaron a los monarcas. Su espíritu llego a los cielos: "Libertad, Igualdad y Fraternidad", como decía Thomas Carlyle. Hoy en día los franceses, con sus chaquetas amarillas, hacen que el gobierno cambie políticas erróneas que afectan al pueblo: "Allons enfants de la Patrie" ("Vengan, hijos de la patria"). Y en Chile, está nublado, parece que va a llover, se suspende la pichanga.

"Que no panda el cúnico" como decía el Chapulín Colorado. Tenemos un país *garante*, Estados Unidos; el mismo de las bombas atómicas de Hiroshima y Nagasaki. Curioso, ¿no? Siempre está ahí la espada de Damocles sobre el mundo. "El pueblo unido jamás será vencido", debemos asegurar los goles. Mi abuelo decía: "El fútbol es para que veintidós tontones anden detrás de una pelota, pelotudos". Bueno él nada sabía de Alexis Sánchez, pero "le doy de barato", como mi madre aseguraba respecto a la *pichanga política*, estaba en lo cierto. Pertenecía a la época de políticos al servicio del país, no como ahora, que se sirven de él.

Cierto día un político español escribió un libro intitulado *Cómo pienso*. Se vendió totalmente, como el de Cristina

Fernández de Kirchner, *Sinceramente.* El *Cómo pienso* se vendió totalmente, no por conocer sus ideales políticos, sino por conocer su estrategia política o pichanguera. Era el primer experimento, a saber, de la alimentación animal en el ser humano. Resultado del tiempo, basta ver el caos político español. Paco Martínez Soria, en una de sus películas como alcalde, lo hacía mejor, o la *crisis mundial,* según Cantinflas.

Así voy eliminando a varios: menos políticos, menos pichangas y más erario nacional. De igual modo me eliminan a mí por momio facho o comunista *conchetuma.* Solamente me perderé algunas pichangas del *tres al cuatro (al pedo,* como se dice en Chile, *de chicha y nabo, chichinabo* o *de baja estopa* o *de pacotilla,* como dicen los ibéricos (o *íberos,* si prefieren) españoles.

Quedan muchas cosas en el tintero: el alza de las cuentas de electricidad (de luz, para mejor entender).

Aclarando: aquella chica, me la inventé, no existe. Como sospechaba, es un fantasma bello, pero digna de ser quemada por la Inquisición Española, y lo haré, ¿o la salvaré?, no sé. Ella, a buen seguro, será un personaje maléfico de mi próxima novela, en la que estoy entretenido.

Finalmente, todos iremos desapareciendo. En las mismas calles pululará gente diferente. Local, empate, visita. No importa el resultado. Lo que importa es que se acaben las injusticias sociales. Y recuerden: el partido se juega con revancha.

§

—Me parece entretenido. Eres fantástico. Me gustó. Hace tiempo que no te leía algo tan, pero tan tuyo, maravillosamente de calidad. Eres sorprendente, aunque no me causa sorpresa, muy bueno. Estoy esperando leerte de nuevo, William.

—Pero tu comentario de política deja un tanto que desear. Opino que escribes muy bien de sexo teórico, pero de política, nada. ¿Nos veremos en noviembre? Oye, Ale (me gusta el hipocorístico de Alejandra), no juegues conmigo o me iré. Deseo besarte los cuatro labios que posees; tragarme tu saliva y tu miel.

—A mí también me gusta, Will. ¿Y para qué vas a desaparecer entonces?

—Voy a escribir una novela. Tendrás un capítulo. Te quemaré en la Santa Inquisición. Una mujer hereje, que es bella y que juega con los hombres, como me contabas de tu sueño en el que habías sido apresada por bruja en tu otra vida. Que fuiste acusada de herejía, de engendro del diablo disfrazada de persona. Ese sueño reiterativo que se te quitaría toda vez que se solucione tu "problema de la otra vida". Fuiste personificación de la vergüenza y la deshonra.

—Will, eres muy malo.

—Ale, ¿algún deseo antes de morir?

—Mmmm, a ver, déjame pensar...

—Mujer, podrías ser la amante de un roto o la querida de un noble, cenicienta o bruja de algún cuento. Finalmente, no serás, como hasta ahora, un sueño, una mujer irreal. No eres la única, no te preocupes.

—Will, ¿de verdad estás escribiendo otra novela? No te rías, es cierto lo de mi sueño repetitivo. Mi deseo, si quieres saberlo, es ser una *SOR PRESA*. Me da risa. He tenido ese sueño, que se ha repetido, casi real. No, verdaderamente con características reales. Estaba en la Edad Media atada y llevada por dos hombres a una sala grande, con muchas personas sentadas y vestidas de manera extraña y colorida. Bigotes, sotanas. Lo más importante es que mi antepasada también se llamaba Alejandra, como yo: *Alejandra la Grande*. Tenía un lunar en la ceja izquierda, otro en la mejilla y un tercero en la ingle, ambos a la derecha, igual que yo. Una voz comenzaba a leer un papel en español, y siempre ahí es cuando despierto asustada y transpirando. Me acusaban de bruja. No supe de mi condena. La verdad, es que esta pesadilla se acabaría si yo supiera cuál es mi condena. Al parecer está en ese limbo, en el aire, en la no decisión. Seguro que, si yo supiera su condena, no tendría más pesadillas de estas *pesadillas de la Inquisición*, e iría feliz a tus brazos. Antes tenía, por lo visto, enemigos muy fuertes. Ocurrió en Sevilla, en el año 1503.

—"Si el enemigo es muy fuerte, únete a él", ¿no dicen? Buscaré el modo de entrar en ese sueño y soñarlo yo, así te contaré; o bien, viajaré al pasado y lograré que se sepa la sentencia; o bien, ya que no la conoces, es probable que no exista; o bien, está la posibilidad de cambiar ese destino, y si se trata de acabar con tu *pesadilla de la Inquisición* y vienes a mí, lo haré, no es vanidad. Entre broma y serio, está siendo cierto lo de la Inquisición Española: *Si se puede, tengo la oportunidad o me dejan* —le confesé mis deseos a Ale comprobando que esa realidad ya había operado en su subconsciente. Era una verdad. Tenía que averiguarlo, conjeturaba.

§

—Hace tiempo que no te leo. ¿No tienes algo por ahí, Will?

—Te dije, tengo *poquita cosa,* pero tú insistes en que es mentira. Debes saber que con Photoshop se hacen maravillas. Falta de tiempo, estoy dedicado a la novela. Recuerda lo que decía Albert Einstein: uno por ciento de talento (inspiración) y noventa y nueve por ciento de trabajo (transpiración).

—¿Te gusto mi artículo?

—Bellísimo artículo, eres una mujer talentosa. Tu escrito es merecedor del New York Ti*mes*; o, mejor, del antiguo *Daily News* de Londres fundado por Charles Dickens, autor del libro *Canción de navidad*. Antiguamente se enviaban con regularidad capítulos de novelas a las revistas y periódicos, y así se mantenían el interés del público y las ventas. Mucha calidad en tu ensayo, cada día te superas más.

—Gracias. Que venga de ti, un hombre sencillamente genial, es un verdadero halago.

§

—Te releo y me gustaría ser parte de tu vida. Eres sencillamente atractiva, más que físicamente, ¡que ya es decir!, por tu talento, Alejandra encantadora.

—Cuando me dices esas cosas, me calientas mucho. Me encanta estar en contacto contigo, después de *tus vacaciones por la novela.* Te *eche* mucho de menos.

—Primero, *eché* lleva tilde en la segunda e. Segundo, me gustaría darte dos besos ahí y saborear tu miel, el mejor

78

néctar de este mundo. —"¿Y ahora qué hago?, se me ha producido una erección. Creía que no podía".

—¡Vaya! Verdad, *eché*. Will, te mando algo que escribí pensando en ti:

"'¿*Cómo me amas?*', me preguntaste. 'Te amo a montadas, te amo a cabalgadas, te amo encaramada y también a lamidas', te respondí. 'No, pero ¿con qué me amas?: ¿con el corazón, con el alma, con la cabeza o con mi sexo?'. 'Yo creo que, con los pies, de otra manera no me explico por qué razón siempre vuelvo a ti'".

—¡Enhorabuena! Hermosa teoría. Gracias, Ale.

§

—Will, buenos días. A fines de abril será Semana Santa, ¿verdad? ¿Todavía quieres conocerme? Te mando una foto de cuerpo entero, cubierta solamente con un tul.

—Buenos días, es lo que más deseo. Eres muy bella en todos tus rincones. Me calientas como nunca una mujer lo ha logrado. Eres *integral*: bella, erótica, inteligente, culta, femenina y amante del lenguaje, la escritura y la lectura. Te pasaría mi novela anterior, que tengo para revisar. Tú desnuda y también leyendo, y yo debajo de tus sábanas o de las mías *intruseándote*. Estoy buscándome una modelo para la portada, y esa foto me encantó.

—Mmmm, exquisito. Estoy muy ansiosa. Te envío otra foto, de espaldas; me parece más artística, insinuante. No se sabe quién es. A ver si te gusta para la portada de tu novela.

—Ella estaba decidida a ser parte de aquella novela, aunque solo fuera su imagen.

—Aunque está la modelo de espaldas, semidesnuda, sé que eres tú, Ale. Me gustó más que la anterior. Se imprime.

—Sí, soy yo.

—Me enamoras Alejandra. Esa foto, mi amor, está hecha a la medida para mi novela. Artística, bella figura, femenina a más no poder. Con la cabellera greña, ¡Ufff! Una modelo así, ni en mis mejores sueños me la habría imaginado.

—Me encantaría ser tu modelo.

—Mi bella modelo, eres la mujer más deseada por mí en toda mi vida; lee esta inspiración:

Mujer

Eres la mujer más deseada por mí, en toda mi vida.

¿Dónde estabas, mujer escurridiza?

¿Dónde has repartido tus encantos y perfumes de mujer?

¿A dónde dirigías tu mirada?;

¿Acaso a vagos e indiferentes,

Como locuaces charlatanes,

Que no te han correspondido

cómo mereces?

Mira ahora tu mirada

Y crúzala con la mía;

Que se cuenten secretos:

De amor, pasión y vida.

—¡Qué maravilla! Me encanta cuando te inspiras y de ti fluyen palabras como estas. William, te llamo así para ser más seria, eres un poeta, un romántico empedernido con mucho talento e inspiración.

§

Viernes, 15 de febrero de 2019

—Ale, tú me inspiras mucho. Te necesito en mi vida. Pienso que juntos podemos viajar a lugares hasta ahora insospechados por nuestras almas.

—Will, me halagas mucho. Es un halago que un hombre como tú, escritor, me necesite en su vida.

—Es así, *Ardnajela*.

—¿Qué?

—Tu nombre al revés, mi querida Alejandra.

—Will, lee lo que me escribió a mi mensajería privada uno que se dice actor y asexuado.

—Ale, a ese le gustas mucho. ¡Cuidadín, cuidadín! Lo importante es si tu corazón late más fuerte por él.

—No me late nada. No seas malgenio, artista y escritor mío.

—Ale, los artistas, en general, y ese *actor* en particular, a veces, así sea en una actitud vaga, difusa, como que están en órbita, lanzan la red: algo pescarán. Con eso creen impresionar. Tienen manías, o no fuman o fuman mucho. Comen fruta y vegetales, son veganos, humanistas. Adelgazan de cuerpo y alma.

Se chupetean la lengua, dejando ver y entrever ingratos dientes. Hablan lento como piensan, para vomitar algunas desubicadas ideas. Creen que escriben, y solamente describen. No leen, deletrean sin entender. Buscan siempre, pero jamás encuentran. Una especie extraña, pero no fuera de extinción. Muchos simulan ser homosexuales, y perdónenme los auténticos y muy respetables. Tu *admirador*, se cataloga de *asexuado*, ¿no será un narrador de novelas y cuentos en tercera persona omnisciente? Debe creerse un ángel. Me parece más un demonio y si desea juntarse contigo, te invita a formar parte de una novela como *Ángeles y demonios* de Dan Brown. Pueden, por otra parte, ser comunistas trasnochados, como en el poema sobre el "gato que se hacia el socialista", de Trilussa, (Carlo Alberto Salustri, su apellido, al revés en cuanto a sílabas) que comenté en mi artículo "Pichanga política". Usan ropas sueltas, casi *hippies*. Se tiran pedos más hediondos que los demás. Se rascan el culo disimuladamente y luego huelen sus dedos. Eructan, se sacan los mocos. Bueno, son artistas progres. Los conozco, créeme.

"Besitos. ¡Ah!, no soy malgenio, solamente tengo genio e ingenio.

—A mí no me impresionan las sandeces que me dijo. Creo que tú me conoces un poco, por lo menos. ¡Digo yo! Me gustó mucho tu descripción. Genial como tú lo eres.

—Alejandra, hermosa modelo, *te conozco como si te hubiera parido*. Pero quiero conocerte más: *por arriba, por abajo, por delante y por detrás*.

—Un *besote* o es *bezote*.

—*Beso*, es normal: *beso negro, beso de Judas, beso ahí, beso allá* o *beso acullá*. Si es diminutivo: *besito*; si en

82

aumentativo: *gran beso*. Como *beso* se escribe con ese, lo lógico pareciera ser que el aumentativo sea *besote* o *besazo*. Pero ambas expresiones están mal. *Bezote* es un adorno en el labio inferior de los indios americanos. Quien besa mucho, es un *besucón*. El verbo es *besucar*, no *besuquear*, como decimos en Chile. La RAE va más lenta que los cambios del lenguaje, y se permiten cambios que no me gustan como: *desapercibidos* por *inadvertidos, la calor* por *el calor*. O *solo* no lleva acento, forma que aún no me gusta y no uso generalmente. Si pones *besote*, entre comillas, pasa como licencia literaria. Por si acaso, te envío ahí un *osculote*.

§

Martes, 19 de febrero de 2019

Cada vez que yo dejaba de darle señales de vida a Alejandra, ella me buscaba. Aquello me tenía muy confuso. Eran, a mi modo de ver, obstáculos invisibles que ni tan siquiera nos permitían soñar que podían dar lugar a la realización de aquel deseo sublime del fenómeno onírico. "Alejandra, ¿por qué tienes que salir huyendo esperando de mi parte una flor de desdeño? Ir por senderos ocultos con caminares caprichosos y profundos de lujuria sexual. Tu sexo y el mío se atraen, se desean, se pertenecen. Son el cruce de nuestras miradas. Espero que medites".

§

—Hola, Will, me tienes abandonada. Pensé que me habrías olvidado. Ya sé, la novela.

—Sí, bella mujer. Jamás te olvido. Cada vez estás más presente en mi mente. Te pienso mucho, más de lo que debería o sería conveniente. Como un demente.

—Muaaack. Pero si yo no te escribo, no sé nada de ti. ¿Cómo estás, hombre exquisito?

—Pensándote, mujer deliciosa: *monumento de mujer.* Siempre he pensado qué pasaría si estuviera durmiendo desnudo con un monumento de mujer así, y que ella con sus besos repartidos por mi cuerpo, me despertara.

—Me encantaría despertarte y despertarlo, con suavidad —me dijo sencillamente. Ninguna mujer que he conocido ha tenido esa forma deliciosa de hablar. Pero todo platónico.

—Me subyugas —le respondí dubitativo.

—No solo quiero subyugarte, quiero comerte.

—Lo más probable es que cuando me conozcas, estés ahíta. —Te veo delgada.

—¿Qué?

—Satisfecha, llena, enguatada, harta, sin deseos de comer(me) —le aclaré.

—No creo, por el contrario.

—Veremos; *en la cancha se ven los gallos*, mi querida Ale.

§

Lunes, 25 de febrero de 2019

Más de lo mismo: silencié mi comunicación y Alejandra apareció.

—¿Cómo estás, William? Te echo de menos, tan perdido que andas. La novela, seguro.

—Me *apaga* que digas eso.

—No te tiene que apagar; si te echo de menos, es porque te pienso.

—Perdón, Alejandra, quise poner *halaga*. ¡Joder, este móvil!

—Mmmm, se te sale lo español: *joder*, *móvil* (no *celular*). Bien.

—Soy español, y muy orgulloso de serlo. Desde pequeño mi padre contactó con escritores españoles, arrancados de la Guerra Civil. Por ejemplo, Eduardo Blanco Amor, autor del libro *Chile a la vista,* muy amigo de mi padre. Te envío el poema "Mujer imaginaria".

Mujer imaginaria

¿No quieres soñar conmigo?
¿No quieres ser mi mujer soñada?
¿No quieres conmigo, en un amanecer nevado
compartir una almohada?
¿No deseas que te mime, que te abrace,
que te ame y que escuche
tu gemir de deleite
sintiéndote muy amada?

¡No imaginas lo que serían
nuestros sueños juntos,
besándose de sol a luna
y de madrugada!
¿No quieres mostrarme tu placer,
tu *yo* muy íntimo
de mujer apasionada?
¿No le darías de beber
a un sediento caminante,
el néctar dulce de tus entrañas?
No, no lo harías jamás,
eres una mujer imaginaria.

—Es maravilloso, ¿es poema tuyo?, poeta mío.

—Lo es. Está bien construido. Como ves, no sufro de *falsa modestia.*

—¿Y lo escribiste pensando en quién? ¿Me lo dirás, William?

—Pensando en ti. La nieve de Estocolmo. La mujer imaginaria eres tú, apareces y desapareces. —Tuve que alimentar su vanidad, pero era cierto.

—Malo.

—Seré más malo aún. Ya te dije, te quemaré en la Santa Inquisición.

—¿Como a una bruja?

—Como a la bruja que eres. Me embrujaste, Alejandra.

§

Sábado, 2 de marzo de 2019

—**M**mmm, besitos, William. ¿Cuáles son tus pensamientos y deseos?

—Deseo desnudarte poco a poco hasta descubrirte toda desnuda y verte caminar bajo la luna, que estará celosa junto a su corte de estrellas al ver y comprobar que tu belleza es mayor. Tus formas la dejarán opaca, desmerecida en luz y encanto. Le dará tristeza, se oscurecerá en el firmamento. El cielo comenzará su llanto y mojará tu cuerpo por fuera y por dentro. Así caminarás hasta mis brazos y juntos viajaremos al son de tambores de hechicerías africanas: ¡bum, bum, bum!, como el cuento de la habitación de la señora Lebensbaum, que te leí por teléfono.

"Iremos a lugares insospechados, en un convite donde solamente pueden acceder seres llamados a conocerse más allá de los impedimentos mundanos o de los celos de la luna con su corte de estrellas. El amor más sublime nacerá para siempre. Por lo tanto, quiero verte caminar desnuda bajo la luna. No viniste en Pascua de Resurrección. Te mando una foto mía.

—Lindo, mi amor. Nosotros, dos meses antes, quedamos en que yo iba para allá y, en vez de ir conversándolo, nada me dijiste. La comunicación al respecto se transformó en algo escuálido, y para mí eso es muy importante.

—Mira, Ale, lo conversado para mí era un hecho. Detalles de vuelo, hora y día; por tu parte todo me faltaba. Me habías dicho que tenías un amigo de una agencia de viajes, que te hacía precios especiales. Callaste, *mujer imaginaria,* ¿ves? A ver si te animas algún fin de semana.

Viernes, 18 de octubre de 2019

Continuaba yo en lo mío, la novela, nada más que la novela.

§

—William, ¿qué tal?

—Hola, he estado en Estambul. Paseé y bailé con una artista a bordo de un crucero en el Bósforo. Te mando el video.

—Lindo, lo haces muy bien.

—¿Cómo lo sabes?

—¡El baile, William! Y si bailas bien y con tantas ganas, seguro que en la cama eres igual. Lo más importante para mí es ponerle ganas, *ponerle tinca*, el resto, luego viene solo.

—Brillante como siempre. ¡Es verdad! La inspiración nace y renace ante una mujer. Te envío lo que escribí a propósito de mi viaje. Se titula "Un albatros de Valparaíso en Estambul". Un besito.

Un albatros de Valparaíso en Estambul

Escuché a dos niños hablar, jugando con sus barquitos de papel junto a la pileta de la plaza de La Victoria de Valparaíso. Conversaban animadamente mientras circulaban alrededor de la mística alberca de pececillos de colores. Colorida como los sueños infantiles de viajar por lugares indescriptibles.

Él le dijo: "Nuestros barquitos navegan por los mares y océanos del mundo, y tú eres una gaviota de Valparaíso".

Ella respondió: "Y *tú eres un albatros de Valparaíso*".

Así fue cómo se me ocurrió llamar a este sueño o ensueño "Un albatros de Valparaíso en Estambul". No una gaviota, pues es femenina, de vestido gris, negro y blanco, cual golondrinas de mar; y sí un albatros, ese petrel con poderes de vuelo sin igual, soñado y soñador.

Me embarqué en la línea aérea turca: cómoda, moderna, con asientos premunidos de reposacabezas a ambos lados, comida suficiente y profesionalismo de su tripulación. Era octubre del 2019.

Aterricé en el Atatürk, y despegué, tres días después, desde [...] el Sabiha Gökcen.

Visita a la Mezquita Azul, con seis alminares o minaretes (torres), o también llamada Mezquita del Sultán Ahmed, frente a la Basílica Santa Sofía, que fue basílica patriarcal ortodoxa, luego se convirtió en mezquita y hoy es un museo (Hagia Sophia); Palacio Topkapi, palacio Dolmabahce, Bazar de las Especies, Crucero por el Bósforo, baños turcos y más.

Estambul, "la ciudad de las mil mezquitas", "de las siete colinas" o "de las mil y una noches" (y lugar de donde provenían los juegos de sábanas y fundas del hotel cuando conocí a la señora Lebensbaum), rodeada, eternamente, de una innegable y ancestral cultura *oriental-asiática* y *occidental-europea*. Es muy interesante ir a los bazares y poder *regatear* precios. Buscan vender, te salen al encuentro para ofrecerte honestamente sus productos por algunas liras turcas (Tl), a precios siempre convenientes (una libra esterlina, equivale a 6,2 liras turcas y a mil pesos chilenos). ¡Qué delicioso es probar un café turco! Es muy espeso y los granos de café descansan finalmente en el fondo de la taza. O bien tomar su té, de sabores inigualables. La lucha entre el té y el café se produjo debido a que importaban el grano de café y llegó el café instantáneo. Comenzaron a plantar té y se dio muy bien. Es toda una experiencia caminar y probar un buen kebab en un restaurante o las comidas callejeras todo el día y toda la noche: bollerías, mejillones rellenos de arroz, maíz (choclo) hervido y asado. En El Rey del Mejillón hacen cola para comprar.

¡Qué placer pasear por sus callejuelas empedradas, oír los llamados a la oración, cinco veces al día! Cuando estuve en octubre, las llamadas se producían en estos momentos: *Fajr:* antes de la salida del sol (06:30 horas); *Zuhr:* en el cénit; *Asr:* media tarde, antes de la puesta de sol; *Magheib:* al anochecer, e *Isha:* por la noche. Los horarios dependen de la época del año, de acuerdo con la variación de las horas en que el sol se va a dormir. Tienen ajustes de poder rezar en cualquier lugar limpio mirando hacia La Meca, y de hacer dos oraciones de una vez. La forma de vestir debe ser adecuada. Se ve mucha gente siempre. Es la ciudad más poblada de Europa, con quince millones de personas. Le siguen Moscú y Londres. Por eso, se debe sortear a los viandantes y cuidarse de los automovilistas, quienes, como los chilenos, a veces olvidan las normas de conducción. Se debe probar un pescado fresco, una mística de sabores marinos, como los langostinos o gambas. Los puentes están llenos de pescadores deportivos, quienes aprovechan este producto del mar. Avanzando se te puede atravesar un perro muy gordo y dormilón. O mientras comes en un restaurante, te miran los muchos ojos gatunos, en completo silencio y paciencia, esperando alguna migaja, que siempre les cae. Fieles, no se mueven de tu lado hasta que desapareces. Creo que ellos les enseñan a los turcos *el arte del re-gateo:* eso de ser dos veces gatos, que vendría a ser algo así como un ser humano. Las delicatesen dulces, de muchos colores, son imposibles de resistir, hasta para los diabéticos: otra *metformina* o inyección de insulina y adelante.

Edificios a tu alrededor, ya vayas caminando, en tranvía, *taksi* (taxi, con completa *ictericia:* totalmente pintados de amarillo) o metro: modernos y antiguos, compartiendo su existencia con respeto, como las tres religiones. Aunque el tranvía estuviera repleto (casi generalmente), siempre viajé sentado. Nada más ver en mí a una persona mayor (mi útil cabello blanco), me convertía en objeto para cederme el asiento. Respetan mucho a las personas mayores, eso ya lo había visto en las comedias turcas que se emitieron en la televisión en Chile.

En el Bósforo, viajando en un crucero, se puede disfrutar mucho, principalmente del espectáculo de los puentes iluminados, acompañados de la luna. De Asia a Europa y viceversa, una y otra vez. También es posible probar los típicos guisos turcos, sus pescados, sus licores con barra libre; sacarse una fotografía cual sultán, con sus atuendos, y disfrutar del baile folclórico y de una bella y hábil danzarina con traje de luces, cual mariposa voladora, que luego aparece con un atuendo más insinuante. Filmándola, se me fue acercando, y me invitó al escenario a bailar. No podía hacerle un feo, soy un caballero, un caballero español. Accedí, para, al finalizar, besar su mano. Aplausos obtuve de premio (respeto al mayor) y un *good man* (buen hombre) por alguna otra mujer.

Los automóviles en las calles, siempre modernos y grandes. Recordé la serie *Ezel*, cuyo título significa *eternidad*. Basada en *El conde de Montecristo* de Alejandro Dumas, en ella Ezel Bayraktar, Ramis Karaeski, Eysan Tezcan, Ali Kirgiz, Bahar Tezcan y Omer Ucar, cobraron vida. Aunque en mi andar, no me topé con ellos.

Las mujeres turcas son muy hermosas, de lindos cuerpos y muy cariñosas con sus parejas.

La gente, en general, es más bien baja de estatura, como la de Madrid o Liverpool, ciudad de *The Beatles,* pero amable y hospitalaria. Los mismos policías, con sus carros *guanacos* y *zorrillos*, son muy parecidos a los de Chile. Me saqué una fotografía con uno de ellos; ya lo había hecho con policías en España e Inglaterra, pero con los policías chilenos, los carabineros, no me apetece (ya me entenderán).

En Estambul, las mujeres turcas, musulmanas o no, son muy europeas en sus costumbres; especialmente las más jóvenes. Siempre de bellos rostros y sonrientes. Más guapas aún con la *belleza de la juventud*. Atractivas y de cuerpos perfectos. (Tan perfectos como el de aquella bruja llamada Alejandra, que sería quemada por la Inquisición española, y que aparecerá en una novela mía). Muchas veces se las ve solas o con amigas, bebiendo una cerveza, un té o un café; también fumando narguile (*hukahs* o *shicha*, si prefieren) o como se llame ese artilugio para fumar. Dejan ese aroma envolvente a jazmín en torno suyo (como el del cuarto de la señora Lebensbaum), y hacen aumentar, si cabe, su atractivo como mujeres.

En las aceras, como ya lo dije, pocos y gordos canes. Muchos gatos que se deslizan silenciosos, para no romper un encanto y pasar inadvertidos, esperando una recompensa, aunque sea de un *katmer* o pan turco. Los hombres generalmente son de una incipiente barba o bigotes. Muy atentos con sus damas acompañantes. Ellas aprovechan de acariciarlos, besarlos con insinuación femenina; son *empalagosamente dulzonas* y aumentan el deseo de sus caballeros; otro problema para los diabéticos. Mezclan la cultura musulmana y occidental. Algunas utilizan *hiyab* o *burka*, pero todas con profundos y aromáticos perfumes de buena marca. Muestran con este atuendo, solamente sus vivaces ojos negros. Pero sus miradas hacen soñar (por lo menos a un albatros de Valparaíso).

Por las calles, sus edificaciones variopintas se distribuyen entre la gente que pulula y los guías turísticos con banderines, seguidos de corderitos ávidos de envolverse de tan brillante cultura. Por lo atiborrado de gente, las prisas, y mi torpeza, no vi un *mojón* que impedía el acceso para coches (o *autos*, si prefiere) y me di un golpe muy fuerte en la rodilla derecha. En aquel momento, el dolor disminuyó, pero el golpe me traería consecuencias. El papel que protagonizan los edificios antiguos y modernos constituye una verdadera obra pictórica viviente. Sus paredes pintadas de luces de colores suben y bajan más rápido que sus ascensores.

El *taksi*, por unas veinte libras, que representan más de media hora a normal velocidad, te deja en el aeropuerto. Comer y beber en Estambul es barato. Muy barato por su calidad y precio. Un sueño o ensueño cumplido, ¿vendrán más? Vendrán más: *Si se puede, tengo la oportunidad o me dejan.*

§

—Muy lindo, invita a visitar Estambul. Un besito ahí donde tú quieras.

—Ale, ¿ese besito me lo darías en persona?, ¿verdad?

—Sí, claro que sí, hombre rico.

—Te envío lo que escribió el español José Valenzuela, abuelo materno de mi padre, acerca de la muerte, cuéntame qué te parece.

El dolor de la muerte

"Es el dolor más intenso, el sentimiento más profundo a que tan despiadadamente somete al hombre esta ley fatal de la humanidad: quien toca los umbrales de la vida, entra sin remisión, en los dominios de la muerte. La vida y la muerte son así: hermanas gemelas. Para nosotros la primera lo es todo, puesto que es la propia existencia; la segunda es la nada para unos, un misterio insondable para otros. De aquí que muchos la califiquen 'de ilusión de vida'. Lo cierto es que, ante esta suprema e inexorable ley de la naturaleza, sólo nos toca someternos y ver pasar, ir y venir a propios y extraños, como transeúntes de un mismo y único camino, hasta perderlos de vista, no obstante ser esta ley una verdad tan antigua como el mundo. Siempre es una terrible y dolorosa sorpresa, aún para los más empíricos materialistas. No cabe duda. *¡Es bien prosaica la Vida!*".

94

Estas son palabras de este bisabuelo paterno. Un hombre de una estampa muy elegante; una barba muy cuidada, algo canoso, rostro y figura alargada y, lo más importante, una letra caligráficamente impresionante. Parecía hecha a máquina. Habla de la vida y la muerte, hermanas gemelas. Yo pienso en Verónica y Alejandra, hermanas gemelas. La primera, él dice, lo es todo, es la existencia. Yo digo, la primera es real, cierta. Dice él, la segunda es la nada, es la ilusión de vida. Yo digo, la segunda es una fantasía. Mucho parecido.

—William, uno siempre vive pensando que se va a morir, pero cuando así va a suceder, nos asustamos.

—Yo lo encuentro sublime. Este español tenía un talento desaprovechado en narrativa. Tengo muchas cartas y cosas suyas inéditas. Escribió a su yerno, mi abuelo, al fallecer una hija, tía mía, en Barcelona.

—William, por favor, a ver si me envías una foto de esa carta.

—Lo haré, linda Alejandra, pero tengo en una bodega esos documentos con la pátina del tiempo, junto a baúles de libros, en Chile. Tenía una letra de caligrafía, digna de diplomas.

§

—Will, quiero comerte todo, mi amor.

—Todo, totalmente. Eres perversa y lo sabes. Lo sé. Lo sabemos. Disfrutas esa placentera maldad y lo haces conscientemente. Casi diría enfermizamente; con tus facultades deterioradas. En el amor, soy domador, dominante, *sometedor*

95

pero a la vez, sometido. Como el "cazador cazado". Amo y esclavo del amor. Gracias, amiga Ale, por todo tu tiempo. Por saber ver mi mirada. Sin celos, pero al mismo tiempo, sin noches con mañanas. Eres capaz de acortar la distancia del olvido, transformándola en el viviente aroma del deseo que se esfuma como volutas de humo. Ese que supiste encender en mi mente (también pervertida y loca, lo confieso). Ese deseo, no solo físico, sino también espiritual hacia ti. A buen seguro, hubiéramos dejado sendos mensajes poéticos debajo de alguna almohada; en una luna llena de nuestro idilio inadvertido, fugaz, efímero, pero profundo y bello. Alejandra. ADIÓS. Mujer misteriosa. Te dejo un pensamiento final, un poema sentido, en la esperanza de que algún día cesen tus *pesadillas de la Inquisición,* y puedas volver a soñar, conmigo o sin mí, para que así, debajo de alguna almohada, leas un poema de amanecida.

Desde lo esotérico del infinito

Por desear besar todo tu cuerpo, no te besé.
Por querer acariciar toda tu piel, no te toqué.
Por querer amarte, no te amé.
Por querer tenerte, te perdí.

Deseo una vida amatoria
Con un soñar de locura.
Tengo una esperanza ilusoria
De amanecer con bravura.

No renuncio a mi sueño
Ni a la esperanza perdida:
Que nos amemos tan solo una noche
Del resto de nuestras vidas.
Compartiremos secretos, penurias
Ilusiones y fantasías.

En el amor nada está prohibido
Si se vive con pasión y alegría.
Si se ama con el amor de un amante,
Si se sufre el sufrir de otra herida.

No renuncio a la esperanza
De tu amor por un día.

Han viajado nuestros años,
Platinándonos el alma.
Nunca es tarde, vida mía
Si se tiene ilusión en la vida.

Con los años del mañana,
Cuando diga adiós a mis días;
Me iré tranquilo y sin miedo, pensando:
Por querer besarte, te besé.
Por querer amarte, te amé.
Por lamer el vino de tu cuerpo, viví.
Ya sé que fue tan solo una noche en mi sueño,
Pero fui feliz.

§

Le miré el rostro a mi amigo Jowal, y no parecía haberse aburrido.

—William, increíble desazón, e importante que tú, sin poderla olvidar, le hayas dicho adiós a Alejandra. Me gustaría hacer un *tour* por tu vida literaria. Cuéntame tus cuentos. Así podré saber de primera mano tus pensares. El enfoque que le das a tu vida, esa peligrosa y sublime inclinación por la escritura. Afición que se envenena por la lectura. Un virus más peligroso que la Covid-19, no por lo mortal, sino por esa entrada en los pensamientos, en el alma del ser humano. Aunque el coronavirus entra en el cuerpo, no puede penetrar al espíritu; pero es más poderoso, ya que no distingue ni discrimina a nadie. En este sentido es justo. La lectura, lamentablemente, no logra la propagación de este bicho mortífero. Cuéntame de tus historias, tus sueños o ensueños.

No podía negarme, comenzaría por "De profesión: periodista", luego "Una noche", "Busco mi historia", "El huayna de Patacancha", "El Ahó-Ahó" y finalizaría con "La señora Lebensbaum", de la que tanto hablo y a la que nadie conoce aún.

§

De profesión: periodista

Esta frase viene a representar un gran recuerdo que tengo de mi difunto padre. Es la información que destaca en una de sus hojas aquel anciano documento de identificación personal: su nombre, su fecha de nacimiento y más abajo, *de profesión: periodista.* Periodista, periódico, periodismo, tres palabras y una misma idea. Siempre lo veía en la habitación dispuesta como despacho; llena de libros, algunos en un armario giratorio: *revolving desk,* revistas suscritas en distintos países, *Crónicas de Holanda* y otras, apuntes, folios, papel de calco e ideas que habían viajado por blancos papiros, pero que se habían negado a llegar hasta el final de su existencia. Su deceso se había producido en la juventud, en las primeras líneas. Así como en aquel sueño que una vez tuve: descendía en un trineo por un sendero nevado y me estrellé violentamente con el tronco de un árbol, así también esos artículos no quisieron vivir hasta el final de sus días. Luego desperté. ¿O seguiré soñando y todo esto es una mentira?

En ocasiones, hurgaba en sus cosas, calladamente le cogía clips que me permitían construir una cadeneta para el cuello del mismo modo en que día a día vamos construyendo nuestro futuro. Podía elegir entre una enorme cantidad de lápices, algunos azules por un lado y rojos por el otro, o bien sentarme ante su escritorio de cortina y sentirme grande y, como él, ser periodista. Si me cansaba, giraba la silla rotatoria y tenía el ángulo preciso (bueno, más o menos por mi altura) para encontrarme, ante lo que probablemente era lo más genial de su estudio: aquella máquina de escribir Underwood, grande, negra, imponente, con personalidad. Ella me enseñó a escribir con un dedo de cada mano, pero aprendí. Para corregir los *lapsus calami*, utilizaba la estilográfica Parker 51, símbolo para mí, de elegancia, virtiendo sangre color turquesa que se destacaba desde lejos.

Tenía todo el tiempo del mundo para curiosear, ya que mi padre siempre se encontraba en el periódico o por aquí o por allá tras la noticia. Si oscurecía, encendía aquella lámpara central que no dejaba de llorar lágrimas de cristal brillante; o, mejor aún, la del escritorio, una lamparilla de sobremesa de bronce con una coqueta silueta curva cubierta con sombrero verde, que permitía la luminosidad precisa, a la vez que descanso a la vista. Esa lámpara daba un colorido muy especial a las recientes canas de mi padre. Confieso que, para verlo trabajar, debía levantarme de noche y a hurtadillas. Lo sentía golpear las letras maquinalmente, con certidumbre, y descansar cuando se lo permitían sus diccionarios o debía releer lo escrito. Era muy alegre y de un carácter templado.

Una noche que me sorprendió observándolo detrás de la puerta entornada, ya que me había dejado en evidencia, aproveché para preguntarle:

—Papá, ¿siempre tienes tanto trabajo?

Y me contestó:

—Bastante, para poder aumentar el ingreso familiar. —Me abrazó, me dio un beso, desordenó algo más mi cabello, me dio un empujoncito con su diestra y añadió cariñosamente—: ¡A la cama, pero primero a hacer pipí!

¡Cómo me gustaba estar despierto por las noches, para percibir el *tipeo* lejano y aquellas canciones de Harry Lader, Maurice Chevalier, The Andrews Sisters, Carlos Gardel o música clásica, dependiendo de la inspiración! Tal era para cual inspiración, enigma que celosamente guardó en secreto.

Mi padre había optado por ser periodista en los años en que la profesión no se estudiaba en Chile en facultad universitaria alguna. Se llegaba a ella casi por azar. Se debía tener el don de la palabra escrita pero también había que ser un buen lector; más que leer a los clásicos, leer todo cuanto llegara a las manos. Él reunía esos requerimientos y agregaría lo siguiente: una gran facilidad de verborrea, de captar la idea, de ser amistoso, sensible, astuto y casado con mamá, con hijos como mis hermanos y yo; era un ser humano envidiable. Un gran luchador por los suyos; se enfrentó siempre a cualquier adversidad con el ahínco y la tenacidad necesarios. ¿Periodista? sí, lo fue.

La prensa, como uno de los medios de comunicación de masas de entonces, era, y aún lo es, de una extraordinaria importancia, no solo por haber sido de los primeros, sino por ser el que, a pesar del colorido *metamorfósico amarillo-temporal* del papel, dura y perdura más que otros medios informativos; y ¡cuán delicioso es poder leer y releer aquellos artículos que escribió mi padre, recortados malamente por mí, y que, uno tras otro, conservo archivados y pegados sobre torcidas hojas amarillentas que antiguamente eran blancas! Muchos de aquellos escritos los hizo cuando yo lo espiaba con la complicidad lunar.

El lenguaje del periodista es personal, es de su profesión; en sí mismo es distinto del que escribe en prosa artística: novelista, cuentista, ensayista o poeta. Refleja su característica, se supedita a sus lectores (comunicante-comunicado), es de contenido claro, estético, justo. Tiene una jerga común y elegante, en una palabra, es *funcional*, a lo que mi padre siempre agregaba: "Nadie debe escribir como periodista lo que no pueda sostener como un caballero". Él siempre fue un periodista y un gran caballero.

"El periodismo nace con los primeros alientos de la comunicación humana", rememoraba mi progenitor contándome acerca de los *pregoneros* de la Vieja España, cuando proclamaban en medio de la plaza: "Dice el señor alcalde que mañana no se podrán traer las carretas al mercado, ya que será el día del patrono del pueblo, y el ayuntamiento hará una fiesta". Estos eran los inicios de la *información periodística*, hasta que en 1609 llegó el semanario *Avisa Relation oder Zeitung* de Wolfenbüttel, Alemania. Viajando por el mundo y el tiempo, llegamos a Latinoamérica: *Mercurio Volante* (México, 1693), *Gaceta de Guatemala* (1729), *Papel Periódico de Santa Fe* de Bogotá (1791), *El Mercurio* (Valparaíso, 12 de septiembre de 1827).

Diría que el edificio del periódico *La Unión,* donde mi padre trabajaba, era mi punto de referencia. Un campanario en desuso, en contigüidad a la reconstruida Catedral de Valparaíso, siempre mirando a la plaza central. Una gran sala acompañada de escritorios, estanterías, teléfonos, teletipos y, al fondo, en lugar de estratégica vigilia, un despacho acristalado con una inscripción en su puerta: "Director". Los asientos se ocupaban y desocupaban de tanto en tanto; daba la idea de que los periodistas nunca *están*, que siempre *van*. ¡Ya lo sabía yo!

Los domingos eran días especiales. Normalmente se trataba del día de salida familiar (si no había turno en el periódico), salvo de mamá que se quedaba preparando el almuerzo.

Con papá íbamos a disfrutar de la Banda Municipal, con la interpretación, una y otra vez, de la misma música marcial de siempre. La conocíamos, pero nos gustaba y la oíamos con avidez, saboreando los barquillos, las nubes de algodón o los churros madrileños; y cuando el gordinflón del bombo se cansaba, y, por ende, todos hacían un respiro, le daban paso al organillero. Este era un destartalado y alfeñique hombrecillo, quien, ayudado por un loro, vendía papelillos de la suerte al compás de la música circense o de pasodobles, con que también amenizaba un *chinchinero* u hombre orquesta, quien en cada giro hacía resonar los platillos, su tambor y la armónica. Nuestro padre se dirigía, ¿adónde?, pues al periódico, a buscar algo o a hablar con alguien; pero no a recoger el diario, ya que sagradamente, como un reloj suizo, lo dejaba en casa un repartidor. Era el trabajo del *canillita,* como cariñosamente les llamaban a los repartidores o vendedores ambulantes de periódicos. Todos los días había reparto, menos el primer día del año, El Día del Periodista, en que no había prensa en todo el país.

—También yo soy periodista como tu papá —me decía aquel chaval de pocos años más que los míos, pero trabajando arduamente, cerro arriba, para llevar las ediciones a las casas.

—¡La vida de los periodistas es dura desde pequeños! —agregó con aires de satisfacción.

Cuando pregunté a mi padre si sus comienzos de periodista fueron así, esbozó una sonrisa y añadió:

—Algo así. Para llegar a ser periodista se debe luchar mucho y desde pequeño.

Le propuse repartir los diarios de donde trabajaba y lo único que conseguí, fue acompañarlo, a veces, los sábados, mientras él iba, ¿a qué?, pues a buscar algo o a hablar con alguien. Yo ayudaba a los operarios a adjuntar el suplemento familiar que acompañaba la edición dominical. Pensaba, mientras hacía esto, en lo que es la compañía. Pensé en mi mamá acompañando como una buena esposa a papá por el largo viaje de la vida, como el largo viaje que debía hacer el diario junto a su suplemento hasta llegar a su destino: la casa de los lectores, la nuestra, por ejemplo. Mi paga no era otra que la satisfacción de sentirme un poco periodista y llevarme a casa, como una primicia, la sección infantil: *Pepo y Pepa, La Pequeña Lulú, Mandrake, el Mago*, formaban parte de un mundo mágico. La comencé a coleccionar y luego a empastar, junto a los diarios, libros y revistas que llenaban las estanterías del despacho de mi padre.

Y lo que más me gustaba: una réplica, "tamaño estampilla", decía mi padre, de la obra *La cerreta de Heno,* de John Constable, que se encuentra en la National Gallery, de Londres. "Algún día la conoceré", soñaba.

Estaba feliz con mi *colega*, que ya lo era de papá. Tenía, incluso, un escritorio pequeño junto al suyo y escribía mi propio *periódico de casa*, con las noticias de nuestro hogar, que hacían reír de buena gana a nuestros padres y a sus amigos, innumerables amigos, que siempre nos visitaban en casa.

—¡Nadie debe escribir como un niño lo que no pueda sostener con ilusión! —decía yo con mucho orgullo y pensando en que las ilusiones son los sueños de los niños que pueden convertirse en realidad "poquito a poco".

En este periódico casero, nos repartíamos todos los cargos: director, subdirector de opinión, traductor, redactor y jefe de espectáculos, era papá; me quedé como director de deportes y montaje, y dejé a mi hermano pequeño como defensor del lector, ya que siempre rebatía todo, incluso las causas perdidas; además, quedó con el cargo de repartidor, de canillita. Nuestro padre tenía cada vez más surcos en su cara y el cabello más nevado. Íbamos invadiendo su espacio y él nos dejaba hacerlo. Con compañeros del colegio iniciamos una revista que bautizamos *Sí, Aquí*. Una noche papá nos vino a espiar, silenciosamente y bajo la complicidad lunar, y nos dio unos consejos cuando percibimos su presencia.

—Lo que les voy a decir sirve para diarios y revistas. Si un diario es selecto, deberá ser sobrio y conservador. Si es masivo, vistoso y de mucho colorido… —y continuó—: Debéis ir a la fuente de la noticia, seleccionar científicamente, excluir lo que no sirva, lo innecesario. —Y nos contó aquella historia de cuando le dijeron no recuerdo si a Miguel Ángel o a otro escultor:

"—¡Qué hermosa escultura hizo!

"—No la hice, la escultura estaba allí.

"—Pero ¿cómo es así? —le preguntaron con sorpresa.

"—Lo que ocurre —dijo—, es que solamente le quité a la roca lo que le sobraba, lo que estaba demás, y apareció esta escultura.

Nos quedamos perplejos, y él finalizó diciendo:

—Lo más complicado de hacer es tener que limitarse a un espacio reducido, hay que trabajar mucho para lograrlo: cortar y recortar, sin destruir la idea.

Abracé a mi padre, desordené algo más su cabello y le dije:

—¡Vete a la cama!

Mientras se devolvía alejándose, vi caer de sus mejillas un par de lágrimas, y me respondió:

—Pero primero iré a hacer pipí. —Nos miramos y sonreímos con ternura. En ese momento, el reloj de pared había anunciado las cinco de la madrugada.

Al día siguiente, los ojos celestes de mi padre habían viajado hasta el mismo cielo, su lugar de origen. Conservaba aquellas gotitas en su rostro. La hora de fallecimiento certificada por el médico fue entre la una y las dos de la madrugada.

Hoy miro retrospectivamente su despacho y mi alma se llena de alegría. Dos gotas refrescan mis mejillas mientras leo su documento de identificación: su nombre, su fecha de nacimiento y más abajo, *de profesión: periodista*. Todo esto ante la presencia de mi hijo sentado en un escritorio junto al mío.

§

Una noche

Habitualmente, antes de llegar a mi casa, debía atravesar ese cementerio para acortar camino. Como volvía en la noche, la luna iluminaba mi trayecto. Pero aquella era una noche brumosa, sin luna. Me interné por la escalinata que como una gran serpiente abrazaba la ladera, en cuya cima se encontraba el camposanto. Volví a sentir sudor frío en mi cuerpo. El corazón me latía violentamente, queriéndose arrancar de mí. Los búhos y grillos hacían un fondo musical acompasando los sones del viento y la lluvia. Tenía el mismo miedo que la primera vez. No sé por qué me atraía aquel lugar. Continué subiendo los escalones hasta llegar arriba. Había una calma sepulcral, inquietante. Mi cuerpo seguía temblando. Mármoles, cruces, nombres en las lápidas, senderos y tumbas a nuestro alrededor. El pavor me impedía pensar. Quise tranquilizarme, pero el miedo a la muerte, los muertos y la oscuridad, eran superiores a mi raciocinio. No pude. Seguí caminando. Grandes mausoleos me rodeaban, edificios de muerte habitados por los amigos del silencio eterno. La oscuridad, la lluvia y el miedo. La muerte a mi alrededor. Mi compañía. Era una locura, debí devolverme, pero no podía; mis pasos hacia adelante eran indecisos, las piernas ya no me obedecían en ese ambiente fantasmal. Repentinamente tropecé y caí sobre un nicho. Leí un nombre. Sí, lo leí, pero también vi una cara siniestramente sonriente y unos ojos brillantes que me miraban como queriéndome abrazar. Me levanté de pronto, terriblemente excitado, casi no podía respirar de la impresión. Claro, era tan solo mi imaginación pavorida la que me jugaba una mala pasada. Saqué de mi bolsillo mi acostumbrada petaca con ron, bebí unos sorbos. Así intentaba sentir un poco de calor y calma en mi cuerpo. No había caso, di tres pasos y el hombrecillo de cara delgada y pelo grisáceo, me llamó:

—¡Hey, venga acá!

Era el cuidador nocturno del cementerio, pasaba todas las noches allí, conocía el lugar perfectamente. De rostro arrugado y de voz imponente. Aunque creía haberlo divisado alguna noche que yo pasaba por allí, nunca nos habíamos visto así: frente a frente.

—Voy —le contesté ya más tranquilo.

—Llueve mucho —me dijo—, cobíjese dentro de este mausoleo, es el lugar ideal, hay menos frío y sirve para guarecerse de la lluvia. ¿Hacia a dónde va? Debería saber que está prohibido ingresar al cementerio de noche, podría meterse en problemas.

—Sí, lo sabía, pero es el trayecto que me acorta el regreso a casa.

—Entiendo, pero como esta no es su casa, deberá entonces irse de madrugada, antes de que llegue el guardia diurno.

—Lo haré.

El cuidador tenía cara de estar feliz en ese lugar, era como su hogar. Para mí todo adquiría un aire más macabro aún. Además de nosotros, siete eran los que estaban en aquel mausoleo. Diría que olía a muertos.

—¡Lo pasaremos bien aquí! —me aseguró.

No supe qué pensar. Los truenos y relámpagos producían un efecto de averno. El tipo rio, luego le ofrecí un sorbo de ron y cigarrillos; accedió con avidez.

—¡Lo pasaremos bien aquí! —repitió y rio nuevamente.

—Vale —contesté.

Transcurrió cierto tiempo. Cada vez que encendía un fósforo para fumar, absorto en mis pensamientos, las llamas permitían ver las paredes de mármol y los jarrones con flores secas como la muerte misma. Encendí un cirio que había dispuesto en aquel lugar. Sentimos unos pasos silenciosos.

—Alguien viene —añadí con estremecimiento.

—No hay motivo de preocupación, son mis amigas que vienen —intervino el hombre, riendo más que antes.

Pensé que estaba loco, pero cuál sería mi sorpresa, cuando hacia nosotros, en ese lugar de muertos, se acercaron tres jovencitas de unos veinte años cada una: delgadas, de cabellos negros con bucles, atractivas, pero rústicas y mal vestidas. Fue cuanto pude captar. El viejo dijo, luego de sonarse de forma estridente:

—Espérenme, ya vuelvo —y tras unos minutos trajo consigo tres mantas para cubrirnos.

Las jovencitas comenzaron a besarlo, a hacerle el amor todas al mismo tiempo. Era un cuadro increíble. El hombre reía. Se habían desnudado, e hicieron cosas. No quise mirar, por una prudencia quizás demencial. El viejo repetía: "Ya te tocará tu turno", con sonidos nasales por haberse sonado, y reía.

Ahora entendía lo que quería decir con *pasarlo bien*. Todo esto era una locura, me negaba a creer lo que estaba viendo. La vela que nos iluminaba, al son del viento y la lluvia, se fue haciendo más pequeña. Las muchachas se me acercaron. Bebí otro poco. Aunque en un principio quise resistirme, fue imposible; esta tentación era demasiado para mí. Comenzaron a desvestirme. A pesar del frío, dejé que lo hicieran. Besaron todo mi cuerpo, las tres me amaron. Sentí que me transportaba al Más Allá. Vi a los muertos salir de sus tumbas; me miraban. En esos minutos viví entre los muertos, como nunca, pero también morí entre ellos. No sabía lo que era vida o muerte. Fui feliz, no tuve miedo.

—Lo pasaremos bien —dijo el viejo, una vez más, mientras reía—. Tendrán que irse antes de que amanezca.

—Bien —respondí, a la vez que le pregunté—: ¿Por qué ríe tanto?

Entonces, antes de contestarme, las jovencitas se marcharon.

—Río por la vida de los muertos y por la muerte de los vivos —aseguró con firmeza, todavía riendo.

"Está loco", me dije.

—¿Quiénes son estas chicas tan atrevidas? —le pregunté, esperando alguna estúpida respuesta.

Aún con su risa, me contestó:

—Son tres muertas amigas mías.

—Pero si están tanto o más vivas que usted y yo —le señalé.

—Todos estamos muertos; solo los que viven aquí toda la eternidad son los que están vivos.

Ahí lo supe, era un trastornado mental. No cabían dudas al respecto. Me puse de pie, me despedí y continué mi camino. Estaba consternado por la noche vivida. Iba tambaleante por el efecto del alcohol. Comenzaba a amanecer. No cesaba de moverme entre esas malditas tumbas de muertos o vivos. Ya no sabía qué pensar. Prácticamente estaba borracho. Volví a sentir el pavor inmenso, siempre lo mismo.

Caí por la quebrada, me quedé dormido, al rato desperté. Todo era bello. El sol brillaba. El cementerio estaba lleno de vivos o de muertos, ya no sabía la diferencia.

§

Busco mi historia

Caminaba por ese sendero que parecía terminar en ninguna parte. Burlaba las piedras con gran interés, como si deseara algo, algo que no podía hallar, algo que se le hubiera perdido años atrás. Esperaba que con ese andar tal vez pudiera descubrirlo; quizás buscaba encontrarse a sí mismo. Su nombre: Juan de Castro. Era un hombre común y corriente, de cuarenta años bien llevados y de semblante tristón, apagado. Vivía en una poco asoleada habitación, parte de la bohardilla de una casona de dos pisos. Allí tenía manuscritos e ideas fugaces que de pronto se le cruzaban por su mente.

§

El sol estaba en el cenit, su rostro se refrescaba con el correr del cierzo, cuando sintió hambre. Entonces se acercó a un lugar que anunciaba que allí se podía merendar. Lo atendió un gordinflón de estatura media y mejillas coloradas, quien, al verlo, se le acercó:

—¿Qué desea?

Juan respondió:

—Un bocadillo de anchoa y un café cargado, sin leche.

Se preguntaba cómo sería ese pueblo. Esto era importante para escribir su tan anhelada novela.

Cuando el camarero le servía el pedido, Juan lo interrogó:

—Dígame, ¿es lo suficientemente tranquilo este lugar?

—Así es.

Efectivamente era un pueblo pequeño de apenas doscientas personas, de gente ya mayor y apacible. En esa época del año, por lo fresco, sus habitantes salían muy poco; lo imprescindible para realizar las labores mínimas cotidianas, como proveerse de víveres, y no mucho más. A ese local para merendar, solo asistían viejos pescadores a servirse algo, a jugar unas partidas de dominó o de naipes españoles, y a platicar un poco cuando caía la tarde.

El gordo miraba a Juan con curiosidad (lo que el resto secundaba, por ser forastero) y en un momento le preguntó:

—Perdóneme, pero ¿a qué se dedica usted?

—Soy escritor.

Juan se sirvió todo lo que pidió, pagó la comanda y se dirigió a su lugar de descanso.

Esa noche estaba decidido a caminar por el pueblo para conocer algo más de él. Fumaba un cigarrillo mientras sus pasos resonaban en la tierra. La noche estaba muy fría y la bruma ambiente apenas dejaba espacio para ver las luces titilantes de las lámparas en las pocas casas y en los fanales de las callejuelas. Se desplazó unos trescientos pasos hasta llegar a un lugar semioscuro al sur del pueblo, que estaba solitario. Siempre pensando, pensando, pensando, y nada se le ocurría. Repentinamente se sobresaltó. Frente a sus narices, una mujer joven de unos pocos bien llevados años. Era alta, delgada, de tez pálida, vestía con ropa ligera, inadecuada para el gélido clima imperante. Tenía dibujada en su boca una sonrisa impenetrable y unos ojos inmensos. La mujer, al verlo, le preguntó con una voz suave y lejana que salía de unos rojos y sensuales labios:

—¿Te asusté?

Juan no deseaba parecer como un ser pusilánime ante esa bella criatura, por lo que rápidamente, con una voz ronca y profunda, le respondió:

—¡No, obvio que no! Solo me sorprendí, no imaginé encontrarme con alguien en este lugar, a estas horas de la noche y menos que fuera una dama encantadora.

—¿Cómo te llamas? —interrogó nuevamente la muchacha.

—Juan, Juan de Castro, ¿y tú?

—María Luisa.

—María Luisa y qué más.

—María Luisa Aguirre Fernández. Pero dime solamente María Luisa.

¡Qué extraña encontró Juan a aquella chica! Al principio se la vio alegre y al momento, ausente, como si no estuviera ahí. Probablemente, se dijo Juan, tenía la historia que andaba buscando. Debía saber más acerca de ella. Comenzó a especular a alta velocidad. ¿Qué podría preguntarle? Muchas cosas, pero ¿cuáles? Ya no podía pensar, por una especie de éxtasis barnizado de júbilo de su interior. Finalmente preguntó:

—¿Dónde vives?, ¿qué edad tienes?, ¿qué haces tan sola a estas horas de la noche?

Realmente eran muchas interrogantes a las que tranquilamente la joven fue respondiendo:

—Vivo aquí y allá, en un sitio tranquilo y solitariamente acompañada. Vivo en ese lugar desde hace dieciocho años y tengo veintiuno. Siempre salgo a esta hora a dar una vuelta, me gusta la soledad. Hace dieciocho años que no hablaba con alguien, hasta ahora contigo.

—¿Significa que llegaste de tres años al pueblo? —inquirió Juan.

—No, nací aquí.

—Pero si vives acá solo dieciocho años, y dices que tienes veintiuno, no entiendo. Debe ser que te cambiaste de domicilio —replicó Juan.

—Algo así.

—Claro, a los tres años.

—No, a los veintiuno.

¡Qué contrariedad para Juan! No le podía comprender. ¡Qué lío! Qué confusa para contestar. Y esa incomunicación tan larga marcada por los silencios intercalados tras cada intervención. Eran silencios eternos superados únicamente por su incomunicación de casi dos décadas. Juan estaba muy intrigado.

—¿Cómo es posible que nunca, hasta ahora y desde hace dieciocho años, conversaras con ser alguno?

—Ya lo entenderás, ahora debo irme.

—¿Puedo acompañarte a tu casa?

—No, por hoy prefiero irme sola. A lo mejor algún día me acompañarás para siempre.

"¿Se habrá enamorado de mí?", se interrogó Juan, contento. Finalmente preguntó:

—¿Te veré mañana a alguna hora?

—Si quieres.

—Desde luego que quiero, me encantaría; pero ¿a qué hora y dónde?

—En este mismo lugar y a la misma hora.

Seguidamente se despidieron y la chica desapareció entre la niebla. Juan se quedó pensando, pensando, pensando en esa muchacha que le habló como mofándose. Le había cambiado el espíritu y lo llenó de una gran ilusión. Lo sacó de su quietud emocional. Le dio esperanzas, juventud, intranquilidad. Lo despertó del sueño lineal, de su *síndrome de la hoja en blanco*. Verdaderamente ya no pensaba en su novela, ahora pensaba en ese cuerpo joven, esa figura esbelta, esa sonrisa impenetrable, esos profundos ojos de negro mirar y esos labios rojos. Sin saberlo, estaba viviendo su propia novela.

§

Juan no pudo dormir aquella noche. Veía a María Luisa. Pensaba, pensaba, pensaba, siempre en ella. Se quedó encerrado en su habitación, en un estado de duermevela. Le pareció un siglo la espera del momento de la cita con aquella misteriosa chica, pero la hora llegó.

Se miraron a los ojos por largos minutos. No era preciso hablar, las miradas lo hacían. Ambos se atraían. Juan cogió la mano de María Luisa, y la besó con suavidad en la mejilla. Hacía algo de frío y frenó su voraz deseo, temiendo, desde luego, romper aquel encanto. Después comenzaron a conversar:

—¿Qué haces en este pueblo, Juan?

—Busco inspiración para escribir una novela, una historia. ¡Busco mi historia! Pero ya no pienso en el libro, sino que, francamente, desde anoche pienso en ti.

—Te contaré que a mí me sucedió algo semejante. Desde el principio me sentí atraída por tu forma de ser. Eres lo que en mi vida siempre quise tener —y agregó con dramatismo—, pero el destino no lo quiso así.

La miró suavemente. Se percató de que vestía igual que la noche anterior. "No tendrá más trajes", pensó. La pobre muchacha lo dejó más perplejo aún. Repentinamente besó la mejilla de Juan. Sus labios estaban fríos por la brisa y lo negro de la noche, incluso parecía que el cielo iba a llorar. En ese instante preciso, Juan, como mandado por la bestialidad misma que todo ser humano tiene dentro, en un loco y apasionado frenesí, besó esos labios rojos. Una y otra vez. Ambos lo hacían. Se fundieron en un cuerpo. Pronto, comenzó a lloviznar y María Luisa exclamó:

—Debo irme.

—Espera, te voy a dejar en tu casa.

—No.

—Pero...

—No, dije que no.

—Quiero verte mañana, dame tu dirección. Por favor, dámela —rogó Juan.

—Si te la doy, no me verás más.

—Sí, te veré, dámela. Te lo ruego.

—Como quieras.

María Luisa entregó una tarjeta a Juan, quien, sin mirarla, la cogió entre sus manos y la guardó. Cuando alzó la vista para mirar a la muchacha, ya había desaparecido.

§

Al llegar a su refugio, con las manos temblorosas y ávido por la intriga, sacó la tarjeta y observó que decía: "María Luisa Aguirre Fernández. Calle del Cerro, n.º 100".

Esa mañana salió más temprano que nunca hacia aquella dirección. Preguntó a un pescador que se hacía a la mar, y este le indicó que ese lugar quedaba al norte del pueblo. Caminó entonces directo hacia el norte por la única callejuela que rodeaba, como en un gran abrazo, a una especie de bosque pequeño, circundado por un muro alto, de ladrillos anaranjados e irregulares que dejaban nacer entre ellos, en una vida oculta, pequeñas enredaderas aferradas a la existencia con deseos eternos.

Aquel gran murallón era húmedo y viejo. Siguió su camino sin ver numeración alguna. Los árboles desde el interior asomaban sus copas por sobre el muro, señalando su presencia. Por un agujero más grande, intentó mirar lo que había dentro de ese lugar tan protegido. Logró tan solo ver árboles y, en el cielo, unas nubes que venían en sentido contrario. Fueron varios los pasos que dio. A su izquierda, siempre el murallón de ladrillos, a ratos verdosos y a ratos rojizos, como avergonzados de ser ellos mismos. En un portón color madera, golpeó. Era la única entrada al recinto. Apareció una figura enjuta con aspecto y aparejos de jardinero, de barba blanca y bigote grueso del mismo color, arrugado y con voz quejumbrosa, con la que simplemente susurró:

—¿Sí?

Juan le mostró la tarjeta preguntándole si se hallaba en esa dirección.

—Así es —respondió aquella dolida voz.

—¿Estará María Luisa?

—Sí, pero está descansando a estas horas del día, aunque... Vaya por ese pasillo y ...

—De ninguna manera. Perdóneme usted, en realidad no debí venir a esta hora de la mañana a visitarla. Regresaré más tarde —formalizó Juan, y fue interrumpido por aquel hombrecillo.

—No, está bien, vaya a verla, ¡vamos, entre!

El pasillo comenzó a quedar atrás. Juan se volvió y el viejecillo lo miró sonriendo, invitándole a continuar. Lo hizo dubitativamente, empujado por las órdenes de aquel. Al otro extremo, vio la luz, árboles y arbustos, una verdadera selva inexplorada; y al llegar, a su derecha, en el primer recodo del camino empedrado, vio una inscripción que decía:

Cuando las nubes cubran
La luz de tu vida,
Recuerda que aquella oscuridad
Dará paso al camino luminoso
De la Divina Eternidad

María Luisa Aguirre Fernández
1940-1961

Así comprendió que había encontrado su *propia historia*.

§

El huayna de Patancancha

Se encontraba en el kilómetro 88 de la línea férrea Cuzco, exactamente en Q'oriwayrachina. Sí, estaba viajando en solitario hacia Machu Picchu, cumpliendo su ensueño, más que su sueño. Deseaba que este viaje fuera envolvente, personal y emocionante. Para los cuatro días, como antaño, llevaba charqui para comer, agua para beber en un botijo de piel de cerdo, y varios limones para luchar contra la *puna* (o *soroche*, si prefieren) que se sufre por la altura. No viajaría con los *huayruros*, aquellos vetustos personajes que acarrean las pertenencias y que alivian la caminata ascendente de los inexpertos. El desafío de los más de dos mil metros de altura estaba ante él. Ahí iba.

Era el mes de diciembre y parecía que llovería. Efectivamente, comenzó a caer una tromba de agua que impedía ver. Sintió un temor horrendo, le sudaban las manos y su corazón latía a un ritmo muy rápido. Estaba siguiendo los pasos hacia la ciudad sagrada. Era un intruso. Los dioses incaicos parecían hacérselo sentir. Resbaló por un barranco. Apenas se pudo asir de la raíz de un cedro que sobresalía. Una especie de apnea le dificultaba mantener los ojos abiertos. Los truenos y relámpagos producían una sensación fantasmal.

Estaba más atemorizado que antes. Una taruca y un hurón lo miraron sorprendidos por su osadía. Un lagarto se escondió bajo un romero. Siguió sin poder moverse y observando la raíz, que iba cediendo, y descubriendo que su caída por la quebrada era inevitable. De pronto vio en la orilla del camino a un niño de cortos años. Vestía trajes tejidos de colores desvaídos. Una

SI SE PUEDE, TENGO LA OPORTUNIDAD O ME DEJAN

carita seria, casi se diría triste, cubierta por un gorro, también tejido. Una pechera con un poncho como si fuera una muceta, en señal de su dignidad, que reafirmaba con un báculo.

El muchacho comenzó a levantar los brazos hacia el cielo bravío mientras emitía unos sonidos guturales, los que le pareció entender algo como "Arrecunquichi-Malaca-Huachapa-Tai-Tai" repetido tres veces. Estaba llamando a sus antepasados e invocando a sus dioses. De pronto guachapeó fuertemente en una poza de agua bajo sus pies y toda la tierra tembló. William habría caído, de no ser por el *huayna*, que le tomó una mano y lo levantó con una fuerza que tan solo tienen los seres superiores o dotados de atributos divinos. Estaba salvado. El cielo comenzó a mostrar su celeste. Experimentó en su cuerpo una sensación curiosa e inexplicable. Aquel muchacho le contó que era hijo, nieto, bisnieto y chozno, en fin, de familia de monarcas. Él sería el jefe de la tribu de los patancancha, y tenía desde ya la responsabilidad de velar por su pueblo. Lo más sorprendente que le indicó fue que estaban en el 1500 y que Machu Picchu hacía pocos años se había construido. Conocían de los españoles que habían llegado al continente, y debían cuidarse también de los ataques de las etnias septentrionales. William no lo podía creer, pero parecía cierto. Aparecieron ante sus ojos las orquídeas, que aromatizaron el ambiente acompañadas de las begonias y las puyas. Un gato montés huyó mientras un loro hablaba. Llegaron a Llactapata. Un pequeño grupo de indígenas trabajaba en labores agrícolas y con cacharros de greda. Los que estaban más cerca saludaron al huayna de Patacancha, y al parecer, William era invisible ante los ojos de ellos, pues pasó inadvertido. Continuaron ascendiendo por la orilla izquierda del río Cusichaca. La vegetación, cada vez más espesa, el camino más abrupto y los peñascos más grandes. Llegaron así a la aldea Wayllamba. Los cerros altos del fondo ofrecían un aspecto escénico formidable. Acamparon allí. Comieron y bebieron. Los habitantes del lugar resultaron muy hospitalarios: los dejaron solos. En su cultura, la hospitalidad se traduce en permitir que los recién llegados estén *a su aire*. No los perturbaron, sabiendo que debían recuperar fuerzas para el otro día.

A la mañana siguiente, continuaron su camino bordeando el río Llulluchayoc; un camino perfectamente dibujado y rodeado de cedros de formas intrincadas con una brisa fresca reforzada por las cascadas de agua cristalina. Comenzó William a sentir la falta de oxígeno, que palió comiendo limón.

Cuando tenían el sol en el cenit, llegaron al llano de Llulluchapampa, desde donde se observa el sendero hasta Warmiwañusca, que significa *mujer muerta*, y que es el punto más alto de la ruta. Aquí el camino se hace más estrecho y los vientos son más fuertes.

Al otro lado, avistó una escalera incaica, la primera ante sus ojos. Empinada y rocosa. Llegaron a través de ella a Pacamayo, donde pernoctaron por segunda vez. El huayna de Patacancha no parecía exhausto, él sí. Se durmió inmediatamente luego de comer algo de charqui y beber agua cristalina recogida de una cascada.

El tercer día lo comenzaron con mayores dificultades. Divisaron el Runrurakay, que tiene una altitud de 3 600 metros sobre el nivel del mar. Continuaron un camino de laderas

SI SE PUEDE, TENGO LA OPORTUNIDAD O ME DEJAN

hasta Sayaqmarca, que significa *lugar erguido*. Desde allí se comienza a descender. Ahí pudieron ver la ciudadela de Machu Picchu, o más bien un perfil de ella. Era hermosa. Su corazón iba latiendo más aprisa. William quería llegar pronto, pero el huayna lo detuvo en sus emociones y le señaló su báculo, en clara demostración de autoridad, indicándole que aún estaban lejos. Le hizo caso.

Así, fue disfrutando del mejor de los paisajes. Las piedras estaban muy nuevas y el suelo parecía encementado. Los habitantes del lugar eran cada vez más entendidos en hospitalidad. Se sintió bien acompañado por el huayna. Creía que sin él no habría podido llegar hasta ahí. Sin embargo, los otros no notaban su presencia y comprendió que había hecho un viaje al pasado y en el pasado él no existía. Necesitaba descansar.

Luego de un reparador descanso, continuaron la marcha. Llegaron a un túnel enclavado en la roca, por donde atravesaron el acantilado. Continuaron hasta Phuyupatamarca, que significa *encima de las nubes*. "¡Qué acertado nombre!", pensó. Hacia abajo no había más que nubes desplazándose con cautela y a velocidades que, a medida que avanzaban, eran mayores. Las empujaba el viento. También el frío se hacía sentir más. El agua cristalina y las terrazas semicirculares de las construcciones hacían pensar que estaban en un oasis celestial. Las orquídeas perfumaban el ambiente. Llegaron serpenteando hasta Winaywayna. Allí se quedaron la última noche.

Ya en su cuarto día, continuaron con una larga caminata bordeando las verdes laderas y oyendo siempre los llantos de los rápidos del río Urubamba, a muchos metros más abajo.

122

Vieron el Inti Punku, "La puerta del sol", y, más allá, Machu Picchu. Los cuarenta kilómetros recorridos habían valido la pena.

El sol le estaba quemando la cara, unos turistas intentaban reanimarlo. Se encontraba en el fondo de un barranco, con una raíz de cedro en su mano. Sintió en su cuerpo una sensación curiosa e inexplicable. ¡Estaba feliz! Vio detrás de un cedro al huayna de Patacancha sonriendo por primera vez.

§

El Ahó-Ahó

En el Paraguay, en la zona del Chaco Central, a orillas del río Pilcomayo, existe un pueblo tupiguaraní, llamado Cuchicaca, lo que significa *pueblos de pesca*, ya que sus habitantes se alimentan, básicamente, de los peces del río.

Desde los años en que el único lenguaje que se oía era el guaraní, tienen una superstición nacida del vuelo del cóndor y abrigada por la audacia y servicio vestido de su elegancia. Cuando uno de sus habitantes ve cercana su muerte, muy lejos de preocuparse, sus *magutis* o *familiares,* que comparten la misma cabaña, lo dejan irse solo o lo abandonan en los roquedales en la orilla norte del río, para que se enfrente a su destino eterno. Nadie, hasta ahora, ha visto cómo desaparecen los cuerpos sin dejar rastro. Cuando la partida es inminente, permanecen solitarios y dentro de las tres primeras noches se produce el encuentro con el Magut, o dios familiar.

El que sea jefe del pueblo Maguti, deberá ir a la cuarta noche a verificar la partida. Siempre ha ocurrido así. Los cuerpos desaparecen por arte de magia.

Como una ardilla silenciosa, estando de visita en ese pueblo, en el crepúsculo de lo que sería la primera noche de la partida de un cuchicán, lo seguí. Era un anciano bastante sordo, ya que no percibía mis pisadas. Aun cuando se le veía muy débil, tuvo fuerzas para recorrer los cinco largos kilómetros que lo separaban del roquedal Mortal, como lo llaman los cuchicanos hoy en día. La tarde estaba muy fría y la brisa impedía mantener los ojos abiertos más de dos segundos, para refrescarlos y aliviarlos de una bruma espesa y molestosa.

Cuando el hombrecillo, exhausto, acostó su cuerpo echado de boca sobre las rocas, mirando hacia el fondo del agua del suave río, se produjo algo inusitado: algunos peces se acercaron a la imagen de su rostro, lo tocaron, y su cabeza se sumergió en el agua. Había muerto. Había sido besado por un pez y él era, ahora, en espíritu, un pez.

Los cuchicanos, como pueblo que se alimenta de peces y desdeña la caza como fuente de su alimentación, conocen esta transformación espiritual en un pez, y saben que serán comidos por sus familiares o magutis. Todos los peces atrapados por cada familia son descendientes de antepasados muertos. En este sentido, algunos autores, que creen en la teoría de la reencarnación en peces, los llaman pueblo caníbal. Ellos, comprendiendo el lógico discernimiento moderno que implica tan extraña afirmación, se defienden con lo que llaman Tacú-Pucú, según lo cual el cóndor, al que llaman

Ahó-Ahó, en un vuelo rasante, coge entre sus garras al pez en el cual reencarnó el muerto, y aseguran que, aunque aquel no lo atrape físicamente, su espíritu sí lo ha cogido. Esto les permite afirmar que el espíritu se encuentra en el Ahó-Ahó y es por ello por lo que, para nunca matar por error a un cóndor, es decir, a uno de ellos en espíritu, no se alimentan de la caza, ni de aves, ni de otros animales.

El cuerpo que queda inerte en el roquedal desaparece sin saberse el secreto. Como era de esperarse, me fui alejando de allí, pero al regresar días después ya no había rastro de ningún cuerpo. Esta es una extraña cadena alimenticia: vida-muerte-vida. El pez, entonces, es un alimento para el cuerpo, que no tiene espíritu, y este, el espíritu, pasa al Ahó-Ahó. Creíble o no creíble, me encontraba, años después, en el roquedal del río Pilcomayo, en la parte norte, aguardando a que algún pez saltara sobre mi rostro y me besara. En el cielo revoloteaba un Ahó-Ahó, a la espera de realizar algún vuelo rasante.

La señora Lebensbaum

La lluvia continuaba cayendo insolentemente sobre el trozo de acera y calle que tenía ante mí. Los paraguas de diversas tonalidades, formas y tamaños se cruzaban a las distintas velocidades que marcaban sus portadores, quienes, generalmente pasarían inadvertidos de no ser por los focos de los coches que de lado y lado cooperaban a su visualización.

Esa noche invernal, con temporal de lluvia y tempestad eléctrica, era completamente oscura.

Durante toda la tarde había estado pendiente de las idas y venidas de los cuatro clientes de aquel hotel de apartamentos, y de las agencias turísticas que venían a hacer reservas para la temporada estival. Un ritual algunas veces odioso, sobre todo, como entonces, porque debería permanecer de guardia hasta que apareciera la señora Lebensbaum en aquella puerta de cristal protegida por una construcción de hierro forjado que me hacía presagiar mi destino: *vivir entre rejas* o *estar preso*. Me sentía un encarcelado. Todo lo veía desde mi punto de vista, y aquellos barrotes se multiplicaban gracias a los espejos murales situados en ambas paredes del pequeño vestíbulo de la recepción.

Rompiendo un poco la rutina, se me había señalado que la señora Lebensbaum era una dama VIP ("Very Important Person"; "Persona muy importante"), por lo que puse especial cuidado con los detalles.

En el vestíbulo, las flores estaban dispuestas dentro de un jarrón, que, aunque no lo pareciera, era de cristal y cuyas rosas, para ser más auténticas, eran de color *rosado*, y se mostraban erguidas, orgullosas de su juventud. Bajo aquel recipiente, un *mueble-vitrola*, vacío en su interior, y, a ambos lados de él, sendos sillones extravagantes de color naranja inglés. El suelo permanecía cubierto por una alfombra que presumiblemente habría sido persa en sus inicios, aunque ahora nadie daría fe de ello.

Dejé el habitáculo de la recepción para dirigirme a la séptima planta a cerciorarme de que todo estuviera bien en el apartamento veintiséis. Sorteé con facilidad la escalera dejada aquella tarde por el electricista para terminar de reparar al día siguiente, el alumbrado eléctrico de casi la totalidad de las habitaciones del hotel, que permanecía a media luz.

Nada más comenzar a abrir la puerta corredera del ascensor, se producía ese chirrido molesto que no paraba hasta estar bien cerrada para emprender las bajadas o subidas. Esta puerta, de primera generación, me dejaba frente a un espejo colocado en la pared del pasillo, por lo que tenía ante mis ojos la imagen de encontrarme encerrado en una prisión. Los relámpagos ayudaban con los *redobles de tambores que hacían los truenos*.

Moví en sentido opuesto la manivela de brillante bronce y el ascensor comenzó su lento desplazamiento. El viaje se hacía interminable. Cada planta tenía un ventanal hacia la calle, por donde entraba la luz temporal. Era época de invierno, por lo tanto, baja en términos turísticos; y siempre se había optado por alquilar los apartamentos más elevados de la calle o del ruido, que vendría a ser igual. A cada planta que pasábamos, volvía a ver mi rostro en cada uno de los espejos frente a las distintas puertas de acceso al ascensor. Siempre lo mismo: me veía encerrado en una cárcel. Tendría que averiguar el significado de esta obsesión. Los relámpagos hacían más siniestra la visión.

En la planta número siete había cuatro apartamentos. El veintitrés permanecía desocupado, el veinticuatro lo habitaba, desde hacía más de tres años, un matrimonio mayor. Casi se diría que era su hogar y, a mi parecer, también el principal motivo por el que se intentaba alquilar exclusivamente aquella planta, ya que los ancianos no querían cambiarse de allí, la planta del *séptimo cielo*. El veinticinco lo habitaban dos jovencitas norteamericanas, veinteañeras, estudiantes de arte de la famosa Escuela de Marylebone, donde, presumiblemente, habría estudiado el mismísimo John Constable, autor de *La carreta de heno* (1821) y de otros grandes e importantes cuadros que se conservan en la National Gallery de Londres. Eran dos bohemias y bebedoras muchachas que me traían loco y, por qué no decirlo, con mi trabajo descuidado, pero que me sacaban de mis pensamientos obsesivos. Todos los apartamentos eran casi uniformes, de no ser por el número de dormitorios. El veintiséis era el más grande, con tres. Justamente me encontraba enfrente de él, con el fin de comprobar que todo estuviera debidamente dispuesto para la señora Lebensbaum. Seis veces con aquella, había hecho la misma cosa: revisar los detalles y, cada vez que lo hacía, encontraba algo para reacondicionar. En esa oportunidad, quité el precio marcado de la cajita de bombones de los grandes almacenes Harrods, que, junto a una tarjeta de saludo, daban la bienvenida a los clientes importantes. El dormitorio principal era sencillo, pero muy confortable: tenía cubiertas todas las paredes con un papel mural de flores diversas entrelazadas, que disimulaban adecuadamente cualquiera imperfección o agujero dejado por ingratos cuadros. Había un cajonero de madera de caoba, en cuyo centro se apoyaba un espejo de hermosas lunas rodeadas por una dorada moldura y, a cada lado, una máscara de hechicerías africanas: rojas y brillantes, observando con cautela al durmiente que aquella cama pudiera albergar. A un costado, una lengüeta de madera natural, en cuya parte superior, sujeta del agujero de uno de sus extremos, una larga barrita de incienso de canela y jazmín esperaba para cumplir su objetivo: dar perfume envolvente y místico.

Como en todos los dormitorios, la cama formaba parte de lo más ambivalente: comodidad y reposo absoluto. Algo que, hasta entonces, todos habían comprobado; incluso yo, que tenía para mi uso un apartamento en la primera planta. Un gran colchón de lana de ovejas de la Patagonia argentina acomodaba, abrigando a su vez, a un somier tejido con alambres provenientes de fábricas catalanas. La cama, con un juego de fundas y sábanas de lino traídas de Estambul. En la cabecera, estaba un respaldo fijo adosado a la pared, de un negro hierro romboide con un gancho en el centro. Habría asegurado que era para colgar un sobrero, un escapulario, el reloj de pulsera o cualquier cosa, de no haber estado el puntiagudo gancho volcado hacia abajo. Enmarcaba aquel artilugio a un tapiz que representaba diversas figuras de vikingos cazando alces.

Escoltando al lecho, dos mesitas de noche de madera con cubiertas de mármol y con un cajón que atesoraba una Biblia, un Corán y una Torá. Y en su parte inferior, una bacinica (o *urinario*, si prefieren). Sobre una de las mesas, se encontraba un jarrón con agua y un vaso, cubiertos con una servilleta de lino; y sobre la otra, una lamparita eléctrica y una figura de hierro forjado trabajado graciosamente, de donde colgaba un farolito en cuyo interior esperaba una vela para dar luz con la ayuda de una caja de cerillas. Cerca de las mesitas estaba un armario de dos cuerpos y con puertas que tenían sendos espejos de hermosas lunas labradas por artesanos marroquíes, para distraer la mirada de pretenciosas mujeres llenas de vanidad.

Un sillón color *chillón-inglés*; dos sillas de respaldo elevado simulando pilares góticos; una gran alfombra cubriendo la casi totalidad de la habitación, estilo *persa-raído*, impedían la visualización de la madera de acacia y el ruido, al caminar en la habitación. Como en el resto del hotel, todo estaba impregnado por un aroma a jazmín y canela; riguroso requisito a continuación de la limpieza. Los muchos clientes hindúes que llegaban en el verano se hacían merecedores de aquello.

Los relámpagos hacían relucir aún más las máscaras, que con los truenos parecían cobrar vida. Sentí escalofríos.

Aunque llevaba dos años trabajando allí, nunca me había acostumbrado a esas miradas siniestras. Mi mediana edad, mis canas prematuras y el aire de mis bigotes negros enroscados hacia arriba *hacían juego con el hotel*, me había asegurado el matrimonio de ancianos, que siempre se acostaba muy temprano. Sin presumir de ello ni de mi buen aspecto, había notado una mirada insinuante de una de las estudiantes: la más baja, pero con más personalidad; también la que más bebía y, por ello, la más liberal y la que me atraía enormemente. Despertaba mi libido adormecida por mi gris vida londinense. La deseaba.

Dejando cerrada la puerta del veintiséis, me dispuse a bajar, pero el ascensor ya había regresado a la planta baja, señal evidente de que las chicas huéspedes del veinticinco habían bajado. Debía esperar el tiempo que tardaba en subir, para luego descender conmigo, sentir el quejido de sus puertas y encontrarme nuevamente encerrado alimentando mi angustia. No, mi deber era ir a controlar a las estudiantes que se habrían situado, como siempre, a beber *whisky* en la puerta de entrada del hotel, para distraerse con los viandantes. Decidí bajar por las escaleras de incendio, aunque terminara mareado al llegar al piso inferior. La señora Lebensbaum estaba por arribar y no debía ver aquel espectáculo, sería un bochorno para el establecimiento.

Las dos bebían en vasos anchos, llenos de aquel líquido preparado secretamente por antiguos escoceses y al que ellas mezclaban con el agua pura caída del llanto del cielo bravío que iluminaba sus figuras: hermosas, jóvenes y dispuestas a todo, y cuya integridad y bienestar yo debía cuidar.

Me senté a preparar el registro de la *mano corriente* para el ingreso de los viajeros que llegarían de un momento a otro. Ya había cesado el movimiento de personas en la calle y los escasos coches ni tan siquiera iluminaban la oscuridad ambiente. La claridad la proporcionaba el resplandor de la borrasca.

La llegada del vuelo de la señora Lebensbaum al aeropuerto de Heathrow estaba retrasada. La reserva era para ella, otra mujer y un niño pequeño. ¿Quiénes serían?, comencé a hacer especulaciones: dos hermanas, una de ellas viuda, separada o madre soltera con un hijo, dos amigas en igual circunstancia. Finalmente concluí que eran madre, hija y nieto o nieta.

Regularmente, cuando hacía este tipo de ejercicios mentales, daba en la diana. Lo hacía como distracción de mi obsesión de verme en una cárcel. Ya sufría de claustrofobia y cuando pensaba en ello, *me sudaban las manos, la cara y todo el cuerpo. Mis nervios estaban destrozados.*

Unas risotadas más fuertes que lo normal me hicieron levantar la cabeza y ver a las chicas, que estaban junto a tres muchachos, visibles solo gracias a las descargas eléctricas de la tempestad, al gran colorido de sus atuendos, y a un tocado sobre sus cabezas que resguardaba el cabello, que, por razón religiosa, no se cortaban de por vida. Sus rostros eran más negros que aquella noche.

Estaban sometiendo a manoseos a las ebrias muchachas. Ellas no querían y luchaban contra ellos, por lo que hube de levantarme y acudir en su auxilio. Tremendo inconveniente se me presentaba: la señora Lebensbaum estaba por llegar.

Afortunadamente, los jovenzuelos, al verme, se alejaron por la empedrada callejuela bautizada como Lisson Grove y se perdieron de vista.

Las convencí para que se fueran a dormir, pero tuve que transigir en beber uno de sus vasos de licor (el otro lo dejé oculto en la recepción). Me supo a veneno. Nunca he bebido, e inmediatamente sentí el efecto del alcohol en mi organismo: mareo y un fuerte ardor en el estómago. *Estaba mucho más nervioso que antes y con mayor sudor de manos, cara y cuerpo. Una fuerte taquicardia viajaba hasta mis oídos, donde latía sordamente.* Las muchachas me miraban y se reían. Comencé a sentir en mi rostro un calor agradable y una gran tranquilidad me invadió. La bebida actuó como un calmante. Ellas aprovecharon para abrazarme. Sus rostros eran angelicales.

El chirrido del ascensor al abrirse y cerrarse ya no me molestó. Emprendimos el viaje hacia el *séptimo cielo*. Miré mi rostro frente al espejo para verificar si acaso en aquella oportunidad la visión de la cárcel me atormentaba. Comprobé lo que sospechaba: no me importó y me reí de mi propia cara entre rejas. Igual cosa hicieron las chicas. Pronto mi faz se fue desfigurando, a medida que las de ellas sufrían una metamorfosis y se iban pareciendo a aquellas máscaras de ritos africanos: rojas, brillantes y diabólicas. Al pasar el ascensor por los espejos de cada una de las plantas, su efecto aumentaba. Me encontraba muy asustado, tanto que ni siquiera había percibido las atrevidas caricias practicadas por las adolescentes en mi atemorizado cuerpo. Habían actuado con la complicidad de la penumbra y de mi desesperación. Recordé las chicas de mi cuento "Una noche": ahora quien reía era yo.

Me tranquilicé más cuando con mi llave maestra, abrí el apartamento veinticinco y llevé a cada una a su habitación. La última que ayudé a tenderse sobre su cama, era la que me tenía subyugado. Su habitación también estaba afectada por el problema eléctrico. Al tenderla comenzó a asirme, besándome con deseos de hembra ardiente; imaginaba que era Alejandra. Mi piel se encendió de infierno, pero no pude acceder a satisfacer mis instintos. Debía bajar a esperar a la señora Lebensbaum. Le prometí a la chica regresar en cuanto pudiera.

§

Estaba en la faena de afinar pormenores en la recepción. Di la espalda a la puerta con el objetivo de coger las llaves del apartamento veintiséis cuando alguien empujó con fuerza y decisión la puerta acristalada cubierta por las rejas, y la dejó completamente abierta y sujeta por un tope imantado que se encontraba en su parte inferior. Era un japonés, más bajo que lo normal en su etnia. Vestía a la usanza inglesa: traje cruzado de negro y un sombrero redondo, para ganar altura, me imaginaba, o para esconder una prominente calvicie. Abrir la puerta, entrar y hablar en voz muy alta, fue solo un acto. Daba la impresión de que estaba ensayado.

—¡La señora Lebensbaum ha llegado! —vociferó.

Me hizo sobresaltar hasta expulsar fuera de mí todo aliento de *whisky*. Comenzaba el momento tan esperado: conocer a los nuevos huéspedes. Esta palabra me encantaba, por su doble vida, su doble significado. *Huésped* era también yo, respecto a ellos.

Tras él hizo su entrada una mujer de edad *mediana*: macilenta, de cara empolvadamente blanca y cubierta con un poncho provisto de un gorro para protegerse de la lluvia. Se sacó su atuendo invernal y mostró otro de origen hindú. Un gran tul de seda color violáceo, a tono con el colorido de su calzado, la cubría toda. Sus cabellos *blanqui-sucios*: largos y rizados. Portaba en su mano izquierda un maletín marrón de pequeñas dimensiones, con etiquetas pegadas en un orden aparentemente casual: Bristol, San Sebastián, Lisboa, Panamá, Quito, Callao y Valparaíso; y en un costado superior, dominando el espacio, otro rótulo con el dibujo de un barco con dos chimeneas, bajo el que se leía: Reina del Pacífico. Era un nuevo reto para poner a prueba mi capacidad de acierto. Esa maleta y su portadora, la señora Lebensbaum, habían viajado en el buque Reina del Pacífico, en el orden en que se leían las etiquetas: de la más a la menos gastada, de Europa a América.

El japonés entró con dos maletas grandes y enseguida apareció una mujer más joven que la anterior y con un gran parecido a ella. Vestía abrigo y sombrero, y llevaba con mimo en sus brazos a un pequeñuelo de rasgos orientales con grandes mechones lisos y negros. Luego salió a cerrar la puerta de un vehículo que, por mi *retromemoria* auditiva, diría que era un Ford inglés. Lo tenía aparcado a la derecha de la puerta de acceso al hotel; conforme estaba yo, fuera de mi campo visual. Cuando llegaron y se detuvieron allí, ni siquiera me percaté de ello.

La maleta que portaba la señora Lebensbaum en su mano izquierda daba el aspecto de ser pesada para ella, pues había hecho un gesto de dificultad al levantarla y posarla sobre el mesón de la recepción. Con este elemento de juicio deduje que o bien la maleta era pesada o la señora Lebensbaum no tenía mucha fuerza, o bien no pesaba demasiado, pero ella era diestra y se le dificultaba levantarla con la izquierda. ¿Cuánto pesaría la maleta?, ¿qué contenía?, ¿cómo podría averiguarlo?

La señora Lebensbaum se dispuso a firmar el registro, y finalmente lo hizo con su mano izquierda. No me quería inclinar por la probabilidad (casi remota) de que ella fuera ambidextra. Descartando posibilidades, llegué a inferir que era zurda y que su maleta pesaba bastante debido a que contenía algo muy personal y especial.

Regresó el japonés al vestíbulo y cerró la puerta, se quitó el sombrero y lo dejó en un perchero de la recepción. Casi nada de cabello cubría su cabeza. Acierto en mis conclusiones.

Ambas mujeres se sentaron en los sillones. Una abrazando su maletín como si se tratara de un mimado perrito y, la otra, en igual situación con su retoño.

135

Subí las maletas con el japonés, quien hizo gala de la verborrea que ocultaba frente a las mujeres. Me fue comentando en las lentas subida y bajada, detalles sobre ellos: que él había estado casado con la mujer más joven y que habían tenido aquel hijo. Que él admiraba mucho el valor de su exsuegra. Que ella cuidaba con mucho celo aquel maletín, ya que cuando niña, con sus padres, se había ido desde Inglaterra a Chile en el Reina del Pacífico y que el maletín era el último regalo que le había hecho su padre, antes de morir en la travesía. Que él vivía desde hacía cinco años en Londres y que un par de años atrás había conocido a su mujer en un viaje que ambas, madre e hija, habían hecho a la capital británica para olvidar el pesar por la pérdida del esposo y padre, el viejo general austríaco, Hans Lebensbaum. Como decían los diarios: "Un hombre valeroso e inconfundible con su larga barba blanca y su pipa". Que la señora Lebensbaum no supo que se habían casado y que en cuanto se enteró, contrató a un gabinete de expertos abogados para disolver el matrimonio; finalmente, que el viaje de la señora Lebensbaum traía el objetivo de regularizar la situación entre ellos, especialmente por el hijo, y que ahora tendría que irse a su triste y solitario apartamento, no lejos del hotel, en Abbey Road, zona de St John's Wood: esa famosa calle donde los muchachos de Liverpool, The Beatles, cruzaron el paso de cebra para ir a su estudio de grabación.

Fue un largo monólogo de ida y regreso pero del que capté exclusivamente lo que me permitieron aquellos espejos y mi manía de verme recluido entre barrotes. Se me había secado la boca completamente. Necesitaba un poco de líquido, de aire. Aquella escucha había dejado en evidencia dos nuevos aciertos: la relación familiar y lo del viaje de la maleta. El objeto principal de mi curiosidad ahora era el contenido de aquel viejo maletín que ella *apachuchaba* tanto y descubrir el significado de mi obsesión de verme aprisionado.

Una vez en la planta baja, el japonés se despidió ceremonialmente y ambos exesposos se entregaron miradas de complicidad, mostrándose amor recíproco. Ella aprovechó para exponer al hijo a los ojos del padre, quien lo besó con ternura.

El *muchachín* ni se movió. Se podría asegurar que era un muñeco o estaba embalsamado, y que su madre era una demente.

El japonés desapareció de mi vista hacia la derecha, conduciendo un viejo Ford inglés. Él había obtenido su libertad y los que dentro de la recepción estábamos, continuábamos en el cadalso.

Con recato y velocidad bebí el otro vaso que tenía oculto; mi gaznate lo requería con premura. Deseaba dar rienda suelta a mi concupiscencia e ir a visitar a mi artista. ¿Se habría dormido?, ¿me habría olvidado? Imaginé que estaría al acecho con mayores deseos que cuando la dejé.

Al pasar por el corredor que accede al ascensor, la señora Lebensbaum se detuvo y perturbó mis pensamientos con una fuerte llamada de atención:

—¿Cómo es posible que hayan dejado esta escalera aquí? Es algo muy peligroso, más aún para las personas con niños en sus brazos, como mi hija —proclamó con firmeza.

—Disculpen ustedes, es debido a las reparaciones eléctricas que se llevan a cabo en el hotel por los destrozos de esta tormenta —expliqué apocadamente.

—Ese es otro de los inconvenientes del hotel, su excesiva penumbra. Pero tengo que añadir que me atrae, es más romántico —concluyó mientras abrazaba con tierna lascivia su maletín.

"¿Qué podría contener el maletín que traía aquella dama?", me volví a interrogar silenciosamente.

El licor ya estaba viajando por mi torrente sanguíneo. *El sudor de mis manos se incrementaba.* Mi rostro y mi cuerpo también comenzaban a sudar. Sentí el impulso inevitable de mirarme en aquellos espejos. Mi esperpéntico y delgado aspecto se veía entre barrotes. Tendría que averiguar de qué se trataba esta paranoia. Vi la imagen de los rostros de la señora Lebensbaum y de su hija transfigurados en aquellas máscaras de brujerías africanas. Era el mismo espejismo experimentado anteriormente con las chicas.

Mis oídos comenzaron a escuchar risotadas lejanas que se acercaban. Debido a eso no pude oír ni la lluvia ni los truenos y únicamente por el hecho de ver los resplandores de la tormenta, no pensé que esta había cesado. Me enceguecía el efecto multiplicador de la luz de espejo en espejo, de piso en piso (o *planta a planta*, si prefieren).

Aquellas máscaras jugaban con lo que me quedaba de quietud. Se acercaba una y luego la otra, al ritmo de mi acelerado corazón, envenenado por el alcohol. Una fuerte presión en la cabeza me hizo llevar ambas manos a mis sienes con cierto disimulo, aunque no sé si con éxito, para apretarlas en un vano intento de aliviarme. Las máscaras, imaginativas, continuaban su juego maligno. Un momentáneo alivio o tregua me permitió captar los truenos y la lluvia. Finalmente habíamos llegado al *séptimo cielo*.

Dejé en su dormitorio a la mujer con el hijo y llevé al suyo a la señora Lebensbaum, quien de inmediato y con extrema cautela, dejó el maletín sobre la cama. Me despedí de ellas con un gran alivio cerrando la puerta del apartamento veintiséis. Di tres pasos y me enfrenté al apartamento veinticinco, donde suponía, me estaría esperando aquella muchachita que me había intranquilizado sobremanera. Tiré del pompón rojo de cuerda dorada que hacía sonar una campanilla en el interior. Esperando a que abrieran, aproveché de mirarme en el espejo, que no me dibujó entre rejas. Sequé el sudor de mi rostro y luego emperifollé un poco mi bigote, estirando de ambas puntas hacia arriba. Me alegraba comprobar que tanto había dejado de sudar, cuanto que el zumbido de mi corazón ya no me atormentaba más en mi cabeza.

La puerta se abrió entre la semipenumbra exterior y la penumbra interior empujada por los relámpagos. Tenía algo de escalofrío y supuse que sería por la emoción de ver el cuerpo desnudo de aquella mujer extendiendo su brazo derecho y cogiéndome de la mano para que la acompañara a su dormitorio. Obedecí como un autómata. Mi hipotermia había desaparecido y nuevamente comencé a sudar. Sin siquiera mirar hacia atrás, cerré la puerta con suavidad y fuimos avanzando, pasito a paso como persiguiendo mi sueño, por aquel pasadizo que ahora me estaba pareciendo eterno. Las formas jóvenes de la muchacha eran una verdadera obra de arte, un convite. Algunos pasos después nos encontramos en su dormitorio, *con la luz intermitente de los relámpagos*; yo sobre ella en su cama y ambos ardiendo de pasión. Nos besamos esperando apagar el fuego que habíamos iniciado.

Estábamos en ello, con una brusquedad brutal, a un ritmo que únicamente podrían entender los alces del tapiz que escapaban de los cazadores vikingos, quienes, como yo, estaban encerrados en la cabecera de la cama. La muchacha gemía de placer, una y otra vez. Nuestros cuerpos estaban sudados y olían a un calor humano descifrable solo en aquellas circunstancias. Continué con mi ritmo brutal. La muchacha tiraba de los cuernos de los alces, que hicieron caer aquel armatoste de hierro forjado, escapando de sus perseguidores y, al mismo tiempo, encontrando la libertad. Continué con mi ritmo salvaje. Ahora nuestros cuerpos estaban más sudorosos y olían a ese aroma de alguien que va poco a poco entregando al otro lo más íntimo de su ser.

Proseguí de igual forma durante algunos momentos, mirando hacia la pared, ahora sin los cazadores ni los alces, aunque sí con las flores entrelazadas. En uno de sus pétalos, a la altura de mis ojos, se reflejaba una luz muy tenue que venía del apartamento veintiséis. Ello se debía al agujero dejado por uno de los clavos que se habían llevado los alces en su escapada. El dormitorio de la señora Lebensbaum estaba ante mí. Sabía que es de una total falta de delicadeza fisgonear la privacidad de otra persona, pero dos cosas ayudaron a ello: el deseo de sentir el éxtasis de estar en el *séptimo cielo* con el plugo que me estaba entregando aquella figura femenina, y conocer el contenido de la maleta, que ahora se encontraba abierta en el lugar donde la señora Lebensbaum procedía a extraer su contenido. ¡Imposible evitarlo!

Lo primero que sacó fue un retrato al óleo y sin bocel. Era el rostro de un hombre vestido de general, de larga barba blanca y con una pipa: el señor Lebensbaum. Lo puso delante del espejo, escoltado por las máscaras. Luego sacó un candelabro de plata con siete cirios color lila. Procedió a encenderlos, igual que al incienso que estaba dispuesto sobre el mueble. Por aquel agujero de la pared pude olfatear la fragancia a canela y jazmín, unida al hedor a esperma que se mezclaba con el humor y aroma a sexo y demás de nuestros cuerpos. Enseguida tomó una caja de música Polyphon, le dio cuerda y comenzó a entregar los sones de *El Danubio azul*. Finalmente extrajo un frasco metálico, en el que, luego de destaparlo, introdujo, cruzándolos, el pulgar y el índice de su mano izquierda, y dejó caer un polvillo ceniciento. Pude comprobar entonces, que efectivamente tenía razón al haber pensado que aquella maleta era pesada. Al ritmo del vals tomó el cuadro entre sus manos y lo abrazó, girando y girando con las oscilaciones de la música. Lo único que cubría su cuerpo era aquella túnica a juego con el color de las velas. Su figura se traslucía cuando el baile la llevaba frente a los velones. Me parecía muy bella. Se incrementó mi excitación. Mi ritmo continuaba su brutal búsqueda y nuestros cuerpos sudaban mucho más. Repentinamente la señora Lebensbaum dejó de nuevo la pintura cubriendo el espejo, dio más cuerda a la maquinilla y se tumbó sobre su cama, siempre mirando hacia el cuadro. El par de dedos que habían tocado aquellas cenizas se introdujeron con delicada suavidad en sus entrañas, buscando el zurdo ritmo del placer, lo que yo hacía a mi vez.

Sudábamos cada vez más y con mayor aceleración. Aumenté mi ritmo, al comprobar que la señora Lebensbaum hacía lo mismo; estábamos sincronizados. Las máscaras de conjuros africanos se reían acercándose una y luego la otra, siguiendo el ritmo del *zumbido de mi corazón*. Oí sus gemidos de placer, acompañados de los míos, el vals y el *fondo musical de los truenos*.

La señora Lebensbaum había amado a su esposo una vez más, pero el viejo e incinerado general no se había enterado. Y yo había amado a aquella chica que yacía inerte debajo de mí con el gancho enterrado en el centro de su cabeza, mientras nuestros cuerpos descansaban impregnados de sangre y sudor. Ella tampoco había sido consciente de que yo la había amado. Así descubrí el significado de mi obsesión. Fue una pesadilla, una borrachera, un deseo, un sueño, una locura. Nunca lo supe.

§

—Me gustaron mucho tus historias, amigo William o Will, como te decía a veces Alejandra o Ale, como también tú la llamabas. Quienes te lean, bien pueden amarte u odiarte.

—No me interesa que me amen o me odien.

—¿Te crees superior a los lectores, acaso? —me preguntó con arrogancia mi amigo Jowal.

—Evidentemente que quien escribe es superior a quien le lee. Es una verdad ya dicha por Augusto d'Halmar, el escritor chileno, y aceptada por una inmensa mayoría. El lector está por debajo del escritor.

—¿Y si el lector tuyo es un escritor también? —defendió Jowal.

—No deja de ser válido. Es lector de una historia que no es suya, es mi historia. Como mi cuento "Busco mi historia".

—¿Y encontraste tu historia, William?

—En ello estoy.

—Debo decirte, William, que tienes un marcado estilo de Edgar Allan Poe. Me recuerdas "El escarabajo de oro", con las deducciones lógicas para encontrar el tesoro. ¿Tus *desamores*, crees que han influenciado en ti también?

—Podría ser, sin faltar a la ética de caballero: *no tener memoria*. Si una mujer se esfuma en el aire cual voluta de humo, es simplemente una compañía efímera, fugaz y solitaria. ¡Qué alegría más amarga! ¡Qué sueños de vida truncados! ¡Qué confusos sentimientos embargan! No se ha perdido la guerra en esta vida, es tan solo una batalla. Es una prueba de esperanza. Es como el cáncer que me diagnosticaron.

—Es sumamente envolvente tu vida, William. Tu pensamiento de vida, de muerte. Tu amor por la escritura. Tu parecido a Edgar Allan Poe.

—Jowal, no deseo hacer una *digresión literaria*, no es mi idea.

—Verás que no. Te contaré. Es la técnica conocida como *narración enmarcada*. Como las muñecas rusas llamadas *matriuskas*. Una principal contiene a otras y, así, se puede continuar a otra, a otra…

—Jowal, eso es de nunca acabar. Me has hecho recordar cuando era niño. A primos y hermanos, muchísimos años atrás, una tía, la tía Elsie, nos decía: "Sapo, sarape, calzones de trapo, cotón al revés, ¿te lo cuento otra vez?" Todos los niños le respondíamos *sí*. Y lo repetía. Monótono, recitativo, infinito.

—William, la muerte, los cementerios, el terror, te gustan mucho. Esta *narrativa enmarcada*, está teniendo cuerpo.

Como *Las mil y una noches*, cuento de hadas. Recopilación de un tal Muhammad, de la época medieval. Reúne cuentos, poemas, parodias, leyendas. Sherezade, la esposa de un sultán, para impedir que este la mate, le va contando historias cada noche, pero siempre deja el final para la noche siguiente. De este modo el sultán nunca la matará.

—Lo que has escrito —no titubeó en decirme esto mi amigo secreto, el gnomo Jowal— encuentro que tiene mucho de Edgar Allan Poe.

—Muy cierto, este estadounidense es uno de los cuentistas que más me gustan. Su libro *Narraciones extraordinarias,* lo he leído muchas veces y he visto películas acerca de los cuentos "El barril de amontillado", "El pozo y el péndulo", "El gato", "El corazón delator"... Puede que tenga alguna influencia suya, no lo niego. Pero no plagio —le respondí con premura.

—No digo eso, me llama solamente la atención —se defendió Jowal.

—Te contaré algo. Un día estaba leyendo de Pío Baroja, un cuento titulado "Medium" y me llamó mucho la atención. Comienza así: "Soy un hombre intranquilo, nervioso, muy nervioso; pero no estoy loco, como dicen los médicos que me han conocido. He analizado todo, he profundizado todo, y vivo intranquilo. ¿Por qué? No lo he sabido todavía...". Esta lectura me llevó al libro de Poe, a su cuento "Corazón delator", que dice: "¡Es verdad! Soy muy nervioso, horrorosamente nervioso, siempre lo fui, pero ¿por qué pretendéis que esté loco? La enfermedad ha aguzado mis sentidos sin destruirlos ni embotarlos...". Hay mucha semejanza. Para mí

144

es por lo menos digno de analizar. Averiguando, descubrí que Poe nació en 1809 y murió en 1849. Baroja nació en 1872 y murió en 1956. Era menor que Poe, por lo tanto, este pudo *influenciarse* en aquel. En enero de 1843, el periódico *The Pioneer* publicó este cuento de Poe —defendí y le sonreí a Jowal. La brisa, que se veía afuera del museo por los ventanales donde nos encontrábamos sentados, me alivió en parte la sensación de presión alta. Mi amigo secreto se limitó a decirme, para luego desaparecer como acostumbra:

—William, es muy posible; no te ocupes ni preocupes. Te veré esta tarde en Hyde Park cuando te reúnas con Raúl. Bien podríamos juntarnos los tres, ya sabes: que él también pueda verme. Ya veremos cómo se presenta todo.

§

Martes, 22 de octubre del 2019

Esa era una lluvia pesada, monótona, impertinente, que mojaba hasta los pensamientos más ocultos de William. Sin embargo, fue amainando y así se pudo esclarecer lo que sucedía dentro de aquel cúmulo de ideas fugaces, cruzadas y torpes de que era objeto.

Era el martes 22 de octubre del 2019, en ese Londres tan antiguo, solemne y emblemático. Como de costumbre, la lluvia caía, parecía feliz, ya que, ayudada por un resfriado generalizado de casi todos los viandantes londinenses y no tanto, humedecía todo. Algo aceptado. Como un tácito acuerdo establecido no sé dónde, al que el resfriado también le daba la bienvenida.

Una radio, la de siempre, cercana al parque íntimo cerrado por rejas verdes y glorietas con bancas, no cesaba de tocar música clásica, esperando de este modo, ahuyentar los malos presagios de lo que estaba por ocurrir. Al menos William lo presentía así. Su semblante era de resignación, tal como si supiera algo de una incurable enfermedad y de que el final estaría pronto. Era aceptar la muerte, era aceptar el final de los días sin pensar siquiera en el más allá, desde acá.

Continuaba escuchándose un aria en la radio, que irrumpía la monotonía del tranquilo oasis en que se encontraba; ese nido de agua visible a través de la vegetación junto al motor de los vehículos lejanos. William era el hombre que antes quiso ser cuando niño: valiente ante la muerte, con deseos de verla de frente, pero *ahora preferiría ser el niño que fue cuando deseaba ser el hombre que era ahora*. Le pareció recordar alguna frase de d'Halmar.

El dejo a leche caliente y lejana, ese saborcillo a café aromático del cercano cafetín de la esquina y el perfume inmediato e imaginado de Alejandra, aquella mujer esbelta y añorada, mezclado con el placer de saborearlo, fueron eternos.

Las mismas nubes venían galopando empujadas por el viento, con un sonido rítmico y ensordecedor que impedía que él pudiera escuchar el clamor de su alma. Solo alcanzó a oírla cuando las nubes terminaron su escapada. Ellas también querían escuchar el mensaje de los sones de su alma: sus palabras de amor. Pero el viento no las dejó: sopló, sopló y resopló, hasta que huyeron pavoridas en una huida sin rumbo a cualquier parte. Se dispensaron las nubes y los dejaron solos, como siempre: él y su alma. Ahora, ambos, en completo silencio.

§

Ya había desaparecido mi amigo secreto, el gnomo Jowal. Había visto, en principio, solamente el moái que estaba a la entrada y en una vuelta a lo rápido, el resto. Ahora haría un repaso más específico de todo lo egipcio, que me fascinaba. Cada sala exponía cosas maravillosas. Tenía una sensación interesante. Era viajar en el tiempo. Sentía que las momias expuestas estaban felices de que las generaciones venideras pudieran verlas. Collares, orfebrería, zapatos, utensilios para comer, jeroglíficos, incluso la piedra de Roseta. Tronos con hermosos y sofisticados doseles.

—Se puede ver un cenotafio —explicaba un guía a unos chavales—, que es una tumba vacía o monumento funerario en honor a una persona o grupo de personas que fallecieron por las pestes bíblicas. Es simbólico.

"Los egipcios, más que ninguna civilización ancestral, incluso la china o japonesa, diría yo, eran magníficos y creían que el viaje al más allá debía hacerse con pertenencias, seres queridos, joyas, oro y alimentos. Tenían como mágico el número 7.

—¿Cuál era la magia de este número? —quiso saber una niña de un curso visitante del colegio St. Paul's School.

—Los principios universales son siete —enfatizó el regordete guía, con aires de sabelotodo (me acordé del narrador de tercera persona, *el omnisciente*) y agregó—: La sabiduría e inteligencia, el amor, la justicia, la belleza, el esplendor de la vida, la ciencia de la unidad (Yin y Yan) y la inmortalidad, reflejada en las pirámides y en los preparativos del embalsamamiento de los muertos nobles: los faraones.

"Hay pirámides en varias partes del mundo: Egipto, México (tienen los mexicanos una pirámide redonda en *Cuicuilco*, la gran estructura de Mesoamérica, de los Olmecas, construida en el 1200 a. C.), Perú, China, Japón, también hay en los fondos marinos, y todas y cada una poseen las proporciones divinas de la naturaleza del ser humano...

Yo estaba subyugado admirando. Ya había leído al respecto que las pirámides de Guiza en Egipto: Micerino (faraón Menkaura), Keops (faraón Jufu), Kefrén (faraón Jafra), habían sido construidas alrededor del 2700 a. C. y estaban cubiertas con piedra caliza molida y una punta de oro, como un faro que reflejaba al sol.

...—Tiene el peso proporcional de la tierra, su radio y sus medidas. Era una central de energía. El peso de la tierra es el peso proporcional de las pirámides. Este motivo ha hecho pensar que su construcción se debió a seres de otros planetas, que estuvieron en la tierra por entonces. Estos seres contactaron más adelante con Jesucristo, y este se transformó en el mesías. La Biblia ya habla de "Hijos de Dios e hijas del hombre" (Génesis 6). Allí también se habla de los muy longevos, de los gigantes. Interpretaciones que muestran y demuestran la existencia de seres que han venido mutando. Los judíos, en tanto pueblo elegido de los dioses, son los que como etnia, tienen más Rh negativo, lo que sería la demostración de que mutar es propio del hombre y que ha habido manipulación genética en la sangre. Los egipcios producían en la construcción de las pirámides, electricidad natural. Ningún resto de carboncillo se ha encontrado dentro. Tenían generadores. Todo esto, aparentemente, atenta con lo que nos han dicho como *verdad de Dios*, pero no es así. Dios existe, es el creador universal, y en la tierra, Jesucristo es su representante.

"Se comunicaban con dioses, con luminosidades, con *sus jefes*; seres de carne y hueso, "creados a semejanza de Dios" (Génesis 1:26). Cierto es que se mezclaron con los hombres mutantes. Había hijos del hombre e hijos de Dios. Como los españoles cuando llegaron a América, se mezclaron y nacieron los criollos (o *mestizos*, si prefieren). Eran inmortales, emitían luz. Dejaron evolución y volverán como el mesías. Son extraterrestres. Actualmente las pirámides son como aquellas estaciones de ferrocarriles abandonadas, no cumplen la función para lo que fueron construidas.

Nos enfrentábamos a las momias de este museo. Esta vez un pequeñajo preguntó curioso ante las explicaciones del guía respecto a otra momia:

—¿Por qué la importancia de Tutankamón? Deseo saber más, aunque esta momia no sea él.

—Tutankamón es muy importante. El faraón Tutankamón, cuya momia tiene más de 3 344 años, está en un museo de El Cairo, en el Valle de los Reyes. Entre las incrustaciones de piedra de su máscara había lapislázuli de Afganistán. Sabemos también hoy en día que el otro país del mundo que tiene estas piedras es Chile, y no hay más. La embalsamadora le sacó el corazón. Antes de morir, él no podría ni imaginar,

SI SE PUEDE, TENGO LA OPORTUNIDAD O ME DEJAN

ni sentir, ni pensar en su vida eterna. Tiene el privilegio de ser la única momia que ha regresado a casa. Murió a los diecinueve años. En su tumba se encontraron las dos hijas gemelas que tuvo con su esposa Anjesenamón, cuyo nombre, que también se escribe como *Aamón*, significa *la que vive por Amón*. Amón era el dios celeste de la creación. En demonología es un marqués del infierno. Esta creencia en el más allá y la costumbre de matar a los hijos, como una ofrenda a los dioses para que acompañen al faraón y para pasar mejor en el más allá, también se observan en el caso de Amenofis II y de Tutmosis I.

"Desde luego, se veían figuras que, como sus propios dioses y creencias, no podemos nosotros cuestionar. Puede ser lo cierto de las afirmaciones y lo incierto de las conjeturas. Los hombres tenían cinco dedos y un cráneo normal. Había mezcla de hombres con dioses: los híbridos. Los dioses tenían cuatro dedos, las figuras están a la vista. Isis, madre y reina de todos los dioses, era esposa de Osiris, el inventor de la agricultura y la religión, que produjo adelantos reales en Egipto y al que asesinaron ahogándolo en el río Nilo. Los hombres de la cultura preadamita de la Antártica de muchos años antes que Adán (o *Adam*, si prefieren) tenían cabezas alargadas (u *ovaladas*, si prefieren). Usaban a humanos para estudiar su diario vivir. Sostenían que Adán no fue el primer hombre, sino únicamente el tronco del pueblo hebreo. Había también un pueblo llamado Anasazi (1200 a. C.): sembraban maíz. Los seres llamados Kappas, demonios japoneses, que vivían en los ríos y lagos, tenían la cabeza de reptil. Una deidad del agua. Leyenda japonesa, ya que ellos, a los fetos que nacían muertos (mortinatos), los ponían en embarcaciones y los tiraban a los ríos y los lagos. Algo semejante hacen los hindúes, quienes a sus muertos los ponen en embarcaciones y los queman en el río Ganges. Como las Torres de Bombay (o Torres del Silencio, si prefieren). Edificios funerarios de los *zoroastras*, de donde vinieron los Reyes Magos. Eran iraníes y decían que los muertos eran impuros, especialmente si durante su vida habían sido malas personas. No debían contaminar a los vivos ni a la naturaleza. Tiraban a los muertos en estos edificios de muerte, y los buitres se los comían. Los descuartizaban y al cabo de algunos días, cuando los huesos estaban blancos, sin carne, los lanzaban en los osarios, situados en la parte central del edificio.

En este museo quedé anonadado con el mundo y entorno egipcio. Mi mente e imaginación viajaron a aquella época y a esos lugares. Pirámides, esfinge, arena, desierto, río Nilo, Moisés, faraones, momias y un *tutti quanti*. Quedé absolutamente convencido de que entonces hubo seres superdotados que vinieron a la tierra desde otros mundos.

Ya me había cansado, deseaba comer algo. Iba caminando hacia la salida y escuché a un turista que le decía a su mujer:

—La antigua línea ecuatorial de la tierra era una línea recta que pasaba por la Isla de Pascua (en Chile), por Machu Picchu (en Perú) y por las pirámides de Gaza (en Egipto). No es esto una *casualidad*, es una *causalidad* que seres extraterrestres las construyeron para sus comunicaciones con los cielos o con los planetas de donde ellos venían, a fin de ubicarse, como sucede con nuestros faros, que informan a los marinos en sus buques. Por otro lado, la precisión geométrica y el modo en que fueron cortadas las piedras, es inigualable hasta hoy en día. Rocas pesadas, traídas de lugares distantes y cortadas con milimétrica precisión. Pueblos que no se conocían, y cuyos arquitectos, a buen seguro, estudiaron en la misma universidad en sus mundos. La tecnología similar, los diseños diferentes. Son los extraterrestres, aunque no lo crea la gente. Tenían cabezas alargadas como Tutankamón, en cuya tumba también se encontró una daga hecha de un material no existente en la tierra. Tenían cuatro dedos, ambos sexos, cabeza alargada, y luego evolucionaron: cinco dedos, cabezas redondas, cambios en sangre, los más puros son los judíos, Rh negativo. Como el judío Jesús. Los poderes venían de seres del espacio, quienes dieron a Jesús la capacidad de resucitar a los muertos, hacer ver a los ciegos y caminar a los inválidos.

Salí del museo, pensando, pensando, pensando.

§

La taberna del museo

Necesitaba comer algo. No estaba muy lejos la taberna, o *pub*, como aquí le llaman (*Public House: casa pública*, con sofás y como el salón de una casa). Iría al The Museum Tavern, en Great Russel Street, construida en 1855, y se dice pronto. Su interior es muy histórico y regional.

Fue frecuentado por el mismísimo Charles Dickens. Hay un retrato suyo en un lugar central y privilegiado. Se le ve escribiendo, con sus cabellos y barba negros, sobre un escritorio de cubierta que se levanta para poner libros dentro. Tiene un tintero en su centro. El escritorio es parecido a las antiguas bancas de las escuelas de otrora en Chile y otros lugares. Nos damos cuenta, al ver la pintura, de que Charles Dickens era diestro. Sujetaba con mucha destreza aquella pluma grande (invento del siglo II a. C.) de pavo, ganso o cisne, ¡vaya uno a saber!, cuya tinta pasa por el hueco o *raquis,* y fluye por acción capilar. Este fue un artilugio que dejó obsoletos a sus antecesores, los *cálamos* o plumas de cáñamo y que, a su vez, sería remplazado luego por la *pluma de metal* (o *plumín,* si prefieren) (USA, 1810), que se masificó en 1860; la *estilográfica,* (*estilógrafo* o *pluma fuente,* si prefieren) (USA, 1870), masificada en 1880; y, finamente, los bolígrafos. Dickens podría estar escribiendo *Christmas Carol (Canción de Navidad),* cuando el destino le da una nueva oportunidad al protagonista, que había fallecido: Ebnezer Scrooge. Esa es una oportunidad que yo quisiera. Un abrazo del destino, una mano, un hombro. Mi suerte hoy tronchada por la salud, en la vida, y por la muerte.

Había poca gente. Era temprano para los oficinistas y su *lunch.* Se acercó el camarero y le pedí: *sunday roast* (asado dominguero con patatas), con un *rice pudding (*arroz con leche) y una cerveza sin alcohol.

—Señor, el *sunday roast* se sirve el domingo, hoy es viernes —me dijo algo compungido.

—Pero deseo comerlo hoy, puedo pagarle un extra; ¿me va a decir que no es posible? —insistí algo contrariado. Deseaba darme en el gusto: "¡Yo me lo merezco!", me decía.

—Desde luego señor, se lo traeré.

—*Another thing, I want the meat well done, please,* ("otra cosa, quiero la carne bien hecha, por favor") —le indiqué, ya que los ingleses suelen dejar la carne casi sangrando y eso me repugna. Me imagino que soy un león devorando a un mamífero que recién he cazado. Eso casi me hace pensar en transformarme en vegetariano.

Ese *pub*, como muchos, durante el día era otro muy diferente a sí mismo durante a la noche, y su público no necesariamente variaba mucho. Recuerdo una noche, tras finalizar el trabajo, como a las 21:30, desde Abbey House (Casa de la Abadía), donde yo era supervisor de una empresa de aseo. Trabajábamos de 19:00 a 21:00 horas. Éramos, incluyéndome, diecinueve trabajadores. Mi mano derecha, mi asistente, era Jaime, y una buena trabajadora la hermosa Gina, ambos colombianos del Departamento de Antioquia, al noroeste de Colombia, y cuya capital es Medellín. Tienen en aquella ciudad la hermosa vista al mar Caribe. Le pregunté un día a mi asistente:

—¿Cuál es el origen del nombre?

—En realidad no está muy claro. Los españoles en su conquista acostumbraban bautizar las ciudades con su nombre o el del lugar de España en que ellos habían nacido. No es algo exclusivo de los españoles, los ingleses tienen la ciudad de York, bueno, en Estados Unidos crearon una Nueva York, tan famosa por la canción de Frank Sinatra. En España está Cartagena; en Colombia, Cartagena de Indias. En España existe Santiago de Compostela en Galicia; en Cuba hay una Santiago de Cuba y en Chile una Santiago de Chile;

y hay en muchas otras partes y ciudades con ese nombre: en Cuba, Panamá, Venezuela, México, Ecuador, Guatemala, etc. Como ves, muy poca originalidad. Otra costumbre consistía en poner a los lugares nombres de los pueblos originarios. Los indígenas de esa región eran los tules, los cunas y otros. Inicialmente se llamaba Santa Fe de Antioquia, nombrada así por su conquistador español, don Jorge Robledo. También se dice que en la antigüedad había una ciudad con ese nombre: Antioquía, en Siria, al norte del río Orontes, que fue la cuna del catolicismo —Jaime descansó, y aproveché de preguntarle:

—*Antioquia* o *Antioquía*: ¿con o sin tilde?

Saltó Gina como una experta en todo lo concerniente a su tierra, la de *los paisas*, presumía siempre; y dijo interrumpiendo:

—Yo te explico, William; perdón, Jaime.

Mi asistente, que estaba lejos de estar molesto, es más, se sentía aliviado, ya que no tenía idea de los secretos de la acentuación, dijo rápidamente:

—¡Hágale, Gina!

—Mira, respecto a esa ciudad, que actualmente es turca.

—Me acordé de Estambul. Aquí Gina aprovechó de ilustrar a Jaime con la mirada y el desconocimiento de a qué país correspondía actualmente, y continuó—: Esta palabra tiene tres sílabas y la tónica es *tio*, la penúltima sílaba de la palabra. No llevan tilde las palabras graves o llanas terminadas en ene, ese o vocal. Pues no lleva tilde, es un error ponérsela. Construyen el diptongo *uí* y transforman esa palabra en cuatro sílabas.

—¡Olé!, Gina —le dije aplaudiéndola y comprobando sus estudios y capacidad intelectual, frenada en Inglaterra por el idioma inglés, que aún no aprendía, aunque, sin embargo, estaba en ello. Pero aquella mujer *paisa* es muy bella, siempre feliz. Hermosa y coqueta, sexy, sensual, cariñosa. Ciertamente la admiraba.

Sufrí una interrupción que me dio qué pensar. No me gustaban las interrupciones ni faltas de respeto a mi persona. Se entrometió el relator en *tercera persona* de esta novela; *el omnisciente*. Afortunadamente era, por lógica, un asunto entre relatores; cosa en la que los personajes, como tales, no participan y desconocen. Yo era personaje: *William*, pero también su colega: relator en primera persona. *Cosa de perros finos, nada de canes de menor categoría. ¿Vanidad?* Bueno, ¿qué es vanidad?

—Te estás pasando y faltando a la ética. Ella es una dependiente tuya. Si te estuviera oyendo, podrían acusarte de *acoso laboral*, y aquí, en Inglaterra, eso es algo muy grave. Por otro lado... —No le permití continuar, lo corté y le dije:

—¡Hazme el favor de dejarme contar las cosas a mi manera! No eres tú quien deba juzgarme. No te metas, *omnisciente*. Tú no tienes sexo, no sabes lo que opina un hombre acerca de la belleza de una mujer, ni lo que siente y presiente por ella. Ya te he dicho que, a lo más, si el autor de una novela es hombre, quien la lee, piensa que relata un hombre; si quien escribió esa novela es una mujer, pues al relator en los oídos le pone voz de mujer. Triste ¿no? ¡Mejor déjame solo relatando! Que viene lo peor.

Me hizo caso, desapareció. Pero algo era cierto. Un día, luego de finalizar el trabajo, pasadas las 21:00, nos fuimos a celebrar a *The Museum Tavern*. Invité a la mujer de la que estaba enamorado: la Mujer Fantasma, como la he llamado. Entre *pinta* y *pinta* (o *jarra* y *jarra*, si prefieren) de cerveza, todos nos fuimos mareando un poco. Estaba radiante. Era la mujer que en esos momentos me tenía loquito. Yo había retornado al camino de Dios. Gina y Jaime, eran mis únicos amigos. Se rieron un día cuando escribí en las redes sociales: *La amistad no existe, es verdad amigos míos*, más de noventa amigos pusieron me gusta, como mínimo (¿curioso, no?). Compruebo que quienes me leen, ni me entienden. Cuando me incorporé de nuestra mesa, para hacer un nuevo pedido en la barra (o *mesón*, si prefieren), uno de los tertuliantes como de cuarenta años que allí estaba a mi derecha, a punto de irse con sus amigos, me pasó una tarjeta, que guardé sin leer mientras él me decía: "cuando quieras me llamas", y me guiñó un ojo, cual amigo Jowal. Me quedé perplejo, llevé los vasos cargados de espumante cerveza a nuestra mesa, pensando en que ahora Jowal estaba personificado en ese individuo.

Se bebe, se discute. Se chismea de cosas. Algunos juegan a las cartas, otros al dominó. Conversaciones, la mayoría de las veces absurdas. Nada más traspasar las puertas estilo *farwest*, se sumerge uno en un mundo diferente. Mujeres disparando los deseos de ser conquistadas: "aquí te las traigo, Peter", "tirar los calzones" (u *ofrecerse*, si prefieren). Hombres que desean conquistar, lo cual es "tirar y abrazarse". Un mundo personal. Cada noche tiene diferente personalidad y diferente historia que contar. No se repite ningún día. Es como navegar.

Las aventuras les pertenecen a todos, se colectivizan. Olores, perfumes, sudores de una jornada de trabajo, lo único distinto de otros tiempos es que se debe salir si quieres fumar. Miradas perdidas, alguno improvisa un "Ave María", otros le aplauden. Voces suaves y adormecidas. Las menos, de euforia perdida. Son los fantasmas de seres vivientes, navegando como "capitanes sin barco", por mares y océanos sin bautizar. Muchas "millas náuticas" y velocidades de "nudos" diferentes, pero en ese momento se debía acelerar, ya que, en toda Inglaterra, suena una campana en los *pubs* poco antes de las 23:00 horas para señalar "el último pedido", que es como el zarpe de un barco. Después de eso, nadie puede comprar más alcohol. Todos piden de a tres cervezas cada uno. Jaime hizo lo mismo. Me preguntó luego con quién hablaba, y me acordé de la tarjeta que había guardado en el bolsillo de la chaqueta. Rememoré también aquella tarjeta que le había dado a Juan de Castro, María Luisa Aguirre Fernández en mi cuento "Busco mi historia". Como él entonces, ahora yo tampoco la había leído, simplemente la había guardado. La leímos, nada que ver con mi amigo secreto, el gnomo Jowal. Había un nombre, un número de celular, y una frase escrita a mano: *hadsome*, algo así como "guapo". Nos reímos con Jaime, y la tarjeta quedó descuartizada en el cenicero de la mesa. Por cierto, desconocía la razón de tener ceniceros si dentro no se podía fumar, pregunta que le hice a Jaime. Me contestó: "es para romper tarjetas y tirarlas allí y no en el suelo". Reímos y al rato nos fuimos levantando; cada uno a sus coordenadas privadas. Yo a dejar a mi novia en su casa, de la mano, y haciendo paradas para poder besarla y sentirla un poco entre cambios de metros.

§

Días después Jaime me comentó, muy lealmente, que mientras él y yo charlábamos lo nuestro en ese *pub*; ellas (Gina y la Mujer Fantasma), como mujeres, conversaban lo suyo. Y que Gina le preguntó seriamente a la Mujer Fantasma:

—Espero que tú no estés jugando con los sentimientos de William, ya que él te ama de verdad.

Pues la Mujer Fantasma, se desfiguró, se sintió descubierta. Pasó algún tiempo.

Un día, sin fecha establecida, que Abbey House, nuestro vetusto edificio, cierra y los trabajadores son objeto de un pequeño ágape con alcohol y delicias para comer. Ahí les comenté mi relación con aquella, la Mujer Fantasma. En la Abbey House, me quedó clara la situación.

§

La fe, la fe, como algunos han dicho: "es creer en algo, sabiendo que es mentira". Fui muy creyente. Asistía a los lugares de reunión de hermanos, vencido ante Dios y convencido de su bondad sin fin. Pero pude ser testigo, al comprobar *in situ*, de lo que los líderes de estas iglesias hacían: un mal uso de los dineros recaudados con los diezmos entregados a Dios por los feligreses. Dejé de seguir a Dios, no era posible. Sabía de un *ser supremo*, pero menesteroso, y se me mostraba otro.

Fueron pasando los días: solitario, atendiendo los quehaceres de rutina sin quejarme. La salud la tenía, era mi máxima fortaleza. Veía a las parejas de la mano, besándose, y sentía una sana desazón en mi alma. ¿Cuándo podría yo estar igual? ¿Era mucho pedirles a los dioses? Me había transformado en un politeísta. ¡Nada!, debía continuar.

Recordar me hace correr sendas lágrimas. Apareció una mujer en una reunión de compatriotas, soñada, perfecta ante mis ojos. Amor a primera vista. Bailamos y quedamos para juntarnos. Sin pensar mucho me susurraba: "No ahora, mañana, espera". No lo podía creer, los dioses me habían respondido. También ahora yo paseaba de la mano de una hermosa mujer, que me besaba ante la envidia de otros como yo, antes. Intercambiamos llamadas, conversaciones, secretos. Ese *mañana* llegó. Una maravilla. Estaba en el *séptimo cielo*, como con esa chica de mi vivencia soñada, mirando el departamento veintiséis de la señora Lebensbaum.

Llegó el verano y fui a pasar un fin de semana a Palma de Mallorca, a ver a mis nietos y a mi hija, quienes estaban allí en su departamento. La playa del Arenal, llena de turistas, sol brillante en lo alto y yo deseando ir a nadar con mi nieto. Lo hice con tan mala fortuna que me metí al Mediterráneo con mi móvil en el bolsillo del bañador. El aparato despareció y, con él, mis secretos, fotos y contactos. Ese fin de semana, quedé incomunicado. El lunes siguiente, después del trabajo, debía ir a la compañía a pedir otro aparato y otra conexión de mi número. No pude, ese día y el día siguiente estaba muy atareado en mis dos trabajos: a tiempo completo (08:00 a 17:00 horas) y tiempo parcial (19:00 a 21:00 horas). No podía comunicarme con la mujer más maravillosa que había conocido.

Pero el martes, recibo una notificación del recepcionista del lugar en que trabajaba. Había alguien esperándome afuera para conversar conmigo. Muy extraño todo. Nadie de mi familia o de mi entorno podía ser. Fui a conversar con el recepcionista, quien me señaló que la persona me esperaba afuera y que no deseaba sentarse un momento en la sala de espera. Al salir hacia la acera, apareció aquella mujer maravillosa, con los brazos extendidos abrazándome y besándome, una y otra vez. Me había confesado que estos días que no había tenido contacto conmigo, supuso que algo grave me habría ocurrido. Y ahora, al verme, había vuelto a renacer. "Gracias, Diosito, me has escuchado", decía agradecida.

—Lo sabía —me aseguró—. Para que veas que lo nuestro está bendecido por Dios.

—¿Cómo me encontraste? —curioso deseé saber.

—Me habías enviado una fotografía con una identificación colgada al cuello. Amplié la foto, y vi el nombre de la empresa. Lo demás: buscar la dirección, metro, caminar y aquí me tienes, amor mío. Te amo, cosita rica —dijo, al momento que volvió a besarme. El jefe apareció en el vestíbulo de la entrada. Ahogado, había venido a copuchar (o *chismorrear*, si prefieren). Nos despedimos. Al entrar el jefe me dijo:

—Creí que era su hija, pero al ver cómo se besaban, comprendí mi error. —Le conté lo sucedido y sonrió gratamente, pensando que, a nuestra edad (él era de mi quinta), también se pueden encontrar chicas que a uno lo amen por la forma de ser, no por intereses distintos.

Al poco tiempo, ella perdió su entusiasmo. Me culpaba de ser muy agobiante y posesivo.

—Debes haber tenido muchas trancas con tus antiguas parejas —afirmaba. Por mi parte, le fui descubriendo, viendo y comprendiendo su engaño: buscaba un árbol, como lo he dicho, que le diera buena sombra para solucionar sus problemas: residencia y seguridad, además de dinero. Se esfumó, era la Mujer Fantasma, y creo que solamente son buenos recuerdos. Fui feliz, la amé, llegué al *séptimo cielo* con ella. Por eso ahora, por segunda vez, dejé estacionado a Dios.

§

Aparqué mis pensamientos en un recodo de mi monólogo y continué como si tal. Una avispa apareció. Revoloteaba e interrumpió su vuelo por una carraspera suya y, como yo, continuó, dejándome con mis pensares en esa oscuridad. Ya detenido no tenía nada que temer. Los pensamientos se intersecan, nuestros corazones latiendo a un ritmo inadecuado. Es lastimoso ese silencio nocturno de sombras mortíferas de desconsuelo. Silencio sepulcral de muerte viviente. Pareciera que hubiéramos contraído la enfermedad que los matasanos llaman *estupidez*. Es más aparente que real. De modo sorpresivo desde el escondite de nuestro camino, vimos una hirsuta imagen en el reflejo de nuestros espejos de temor. La nictofilia, ese amor por la noche y la oscuridad era lo mío; pero no me sirvió mucho. Sabíamos los tres que, se aparecían antiguos monjes, que participaron en la guerra entre musulmanes y cristianos durante las Cruzadas; de cristianos contra musulmanes, se aparecían. Esa guerra aún no finaliza. Se vislumbraban los monjes en esas catacumbas y visitaban el edificio cuando los limpiadores estábamos en plena faena. Y ahí íbamos con Gina y Jaime. Alguno de ellos ha asegurado que cuando se hizo la construcción del nuevo edificio, quedaron al descubierto rocas de formas extrañas. Una de ellas estaba al frente. Era como un portalón a la entrada de esa misteriosa como antigua senda. Tenía una parte desgastada y brillante, a modo de asiento, donde también se ha visto a un monje sentado en noches de truenos y relámpagos. Un camino húmedo, subterráneo, oscuro, frío y tortuoso; más allá de la bodega de materiales que había para proveer de elementos y útiles de limpieza a los limpiadores.

Tengo muy buen olfato. Sentí un fuerte olor a axilas. Disimuladamente *olorosé* a Jaime, nada; hice lo propio con Gina, tampoco. Me curé con mi propia medicina, nada. El olor a axila era cada vez más fuerte. Ellos también lo sintieron. Y mofaron *olorosándose* el uno al otro. Tendría que ser algún fantasma humano. Continuamos caminando. Mi linterna ya casi no alumbraba, sus pilas estaban agotadas. Jaime ayudó con la linterna de su celular. Llegamos a un pequeño recinto con sillas puestas, más que dispuestas, en un desorden ordenado. Invitaban a sentarse en ellas, lo hicimos. No nos importaba el polvo, ya que andábamos con ropa de trabajo. Jaime, muy hábil, sacó una *pocket bottle* (*botella de bolsillo* o *petaca*, si prefieren), que guardaba como un tesoro, escondida debajo de su uniforme. La fuimos bebiendo, sorbo a sorbo. Ese pasadizo atravesaba la Abadía de Westminster (donde está enterrado Lord Cochrane, símbolo marino de la independencia del Perú, contratado por el gobierno de Chile presidido por Bernardo O'Higgins) y llegaría, desde la abadía, al parlamento, a orillas del Támesis. Arriba, en la entrada de Abbey House estaba Michael, el guardia-recepcionista, un hombre muy creyente. Sabía que andábamos repasando cosas para el trabajo de la siguiente semana, antes del cierre por vacaciones. Los recovecos eran como respiraderos hacia las calles aledañas. Repentinamente en una torcedura del camino, se nos apareció un monje de figura esmirriada, con una sotana suelta de color marrón oscuro y un capuchón que le cubría la cabeza, lo que impedía ver su rostro. Tenía un cinturón de cuerda y llevaba colgando un crucifijo. Estas eran vestimentas de los monjes de la Edad Media, y seguramente también de la Inquisición Española. En su mano izquierda, un quinqué apagado y en su derecha, un báculo, muy semejante al del huayna de Patacancha. Por lo menos los tres creímos haber visto a ese monje: saltamos de susto, y subimos de inmediato. Jaime se cambió muy rápido y voló a su casa. Gina y yo nos cambiamos más lentamente. Ver a esa mujer hermosa por una simple casualidad, cuando sustituía una vestimenta por otra, fue maravilloso. Hizo que el pánico escapara de mí, como el licor que bebí en la historia de la señora Lebensbaum, al ver las puertas del ascensor junto a esas máscaras diabólicas que se acercaban y alejaban. Para mí, en un sentido, esa mujer tenía un efecto tranquilizador, pero, en otro, su efecto era sobrecogedor. La había oído hablando por el celular con su hermana, en una de esas vueltas de inspección que debía hacer diariamente, y escuché que le decía: "el supervisor, es un hombre mayor muy dinámico y, además de simpático, guapo". No pude menos que acordarme de la palabra escrita por aquel homosexual en la tarjeta que me dio. En aquella oportunidad me dijo Jaime: "te atacan de chincol a jote" (quería decir: *hombres y mujeres)*. No, a mis pensamientos malévolos, hube de dejarlos olvidados. Por respeto, pero en eso tenía razón el narrador de tercera persona, lo reconozco.

En el cielo, las nubes cambiaban de forma, una metamorfosis necesaria para pasar inadvertidas. Venían pronto galopando empujadas por el viento, con un sonido rítmico y ensordecedor que impedía que alguien, ni siquiera Michael, pudiera escuchar su clamor.

Podríamos comprender el pavor de la gente ante la sombra y la oscuridad, cuando se enfrenta a la muerte. Ese silencio es su fin.

En su viaje, las nubes continuaban el cambio de formas, trajes de distintos colores para igual objetivo: que nadie se dé cuenta. Lo mismo que hacen las miradas de amores ocultos y prohibidos o de deseos mutuos, como cuando con Gina nos mirábamos. Era un juego de niños. El sol se escondía detrás de ellas para luego aparecer más tímido, más brillante; menos caluroso, pero más elegante.

§

Continué mi camino hacia Hyde Park, al encuentro con Raúl. Repentinamente (y no lo podía creer), vi a una mujer de edad *poco avanzada*, delgada de rostro y muy pálida. Vestía un poncho y una muceta, con un gorro de lana boliviano para protegerse de la llovizna, que caía intermitentemente en esos momentos, aunque como de costumbre, amainaba rápido;

por lo que yo ni necesitaba un paraguas. Estábamos a corta distancia, pero frente a frente. Su cabello colgaba sobre la indiferencia de sus hombros, con un color *blanqui-sucio,* largo y rizado. Cogía de la mano izquierda a un niño muy bajo, de pelo negro y muy liso. La mano derecha del pequeñajo, la asía un hombre asiático, más bien pequeño, vestido con un traje negro cruzado, un atuendo muy inglés, y un sombrero redondo sobre su cabeza. Lo supe de inmediato, eran hija, yerno y nieto de la señora Lebensbaum. Ellos no se percataron de mi presencia, parecieron no verme, y continuaron hasta que los vi desaparecer hacia abajo en la escalera eléctrica del metro en Bond Street.

Hice algunas conjeturas, cual era mi costumbre, un ejercicio que nunca me abandonaba. La señora Lebensbaum habría muerto y ellos se habrían vuelto a casar por el hijo que tenían.

Del mismo modo que me ocurrió en mi aventura con el huayna de Patacancha, que pasé inadvertido por todos los demás, aquí con ellos sucedió igual cosa. *Comencé a sentir un sudor frío en mis manos. Mi corazón parecía no hacerme caso. Latía impertinentemente con una notable taquicardia.* Me sentí mareado, por lo que me senté en una banca techada, bajo un paradero de buses. Necesitaba respirar, y me fui recuperando en pocos minutos. ¿Habría existido aquella caja misteriosa con el polvillo del austríaco general Hans Lebensbaum?, ¿Aquella chica que aparentemente me llevó *al séptimo cielo*, había sido real? Sospecho que nunca lo averiguaré. ¿Será posible que haya sido un sueño o fueron ese o este, otros de mis sueños soñados despierto?

Siempre he pensado que, al vivir, adecuadamente, uno se hace merecedor de un buen morir.

Ya sin hambre, y con la sorpresa de haber visto a la familia de la señora Lebensbaum, continué mi caminata hacia Hyde Park al encuentro con Raúl. Sabía que mi amigo secreto, el gnomo Jowal, iría. Iba a ser una muy buena reunión, lo presentía. Era aún pronto, por lo que decidí irme caminando a lo largo del resto de Oxford Street. Aprovecharía de distraerme un poco y ver los escaparates. Una llamada inesperada del hospital me anunciaba que, conforme a lo programado, el martes 17 de marzo debía hacerme los análisis previos a la operación, y, además, me informaba que la operación se adelantaría una semana, y sería al día siguiente, vale decir, el miércoles, 18 de marzo. Aquello me bajoneó enormemente. Tastabillaba por la acera. Todo se me vino encima, todo lo malo, desde luego. Me recuperé un poco y comencé a internarme en el parque, en aquella zona, casi imperceptible, lejos de la laguna con los cisnes, de los niños en sus bicicletas o de los mayores que uno desea que no se entrometan; bajo unos árboles, que tanto daban sombra en días estivales, como cobijo en días de llovizna; vale decir, casi todos los días en Londres. Siempre se debe portar un paraguas pequeño. Recordaba las conversaciones anteriores con Raúl. No sé, el jueves 12 de enero del 2017, el 3 de agosto, o el 14 de diciembre. Ese año, 2017, fue un año de muchas reuniones, aunque por mi parte en un estado de estabilidad emocional. Llegado el 2018, comencé a conversar con Ale. El lunes 2 de enero, le envié un poema, y ese jueves 5 me reuní con Raúl, a contárselo. En el mes de julio: el domingo 9, fue el cumpleaños de

Alejandra, el martes 11, el mío; resolvimos juntamos el 13, a beber algo en mi nombre, invitado por Raúl. Y como él está de cumpleaños el 25 de agosto, pues nos juntamos un día extra, el 24, para nuestra cita acostumbrada de los jueves, y el sábado 26, para celebrar su cumpleaños en el mismo *pub*, bajo el mismo rigor. Esta vez la invitación corría por mi cuenta. Nos comprendíamos bien. Desde hacía un par de años él había enviudado. Es muy creyente en su religión, y pronto encontró el consuelo necesario.

Raúl siempre intentaba en sus conversaciones convencerme del judaísmo. Su religión es la más antigua de las tres monoteístas, me aclaraba, el judaísmo, el cristianismo y el islam. Yahveh es su dios, como ellos escriben, de derecha a izquierda. Judá, hijo de Isaac, hijo de Abraham, hijo de Jacob, por eso judíos. Se preocupan, como por una ley, por *el buen comportarse y andar en la vida*. La Torá es su libro sagrado. Jesús fue judío toda su vida. Dios creó todo, es omnisciente, me lo decía; y yo no podía dejar de sonreír y de acordarme del *relator omnisciente*, ese de la *tercera persona*, con quien he tenido un par de encontrones. Y espero, como lo conozco, que aparecerá, pero que tenga más respeto y no se crea tanto. También su dios es *omnipotente*, y aquí, como soy yo, siempre *volado*, me acordé de una iglesia a la que asistía en Palma de Mallorca.

Un hermano me preguntó:

—¿Dios es omnipotente?

—Claro que lo es, le respondí. —Él era un anciano de la iglesia, y desconozco el motivo por el que yo no le simpatizaba. Bueno, en realidad lo sé, pero eso no viene a cuento, ya

que no aporta nada a mi relato. Siempre intentaba chucear-
me (o *provocarme*, si prefieren), delante de todos.

—Entonces, como Dios puede hacer lo que sea, ¿podría
hacer Dios una roca tan grande que ni Él la pudiera levantar? —proclamó ufanamente, seguro de que yo queda-
ría en ridículo con cualquier respuesta que le diera, ya que
esa pregunta es suspicaz y la respuesta contradictoria: Dios
puede, pero no puede. Por lo mismo, sin mediar un minuto,
le contesté:

—Dios puede hacer muchas cosas, *pero hay ciertas cosas
que le resultan imposibles* a pesar de los años que lo intente
—le contesté con tranquilidad. Estábamos al final del culto,
en la hora del café. Intrigado me preguntó:

—¿Qué cosas?

—Que tú aprendas a tocar el órgano en la iglesia y no desafi-
nes. —Todos rieron y él se sintió mal. Se alejó con la taza de café
en una mano y, para disimular, cogió su celular e hizo como que
iba a responder una llamada estando su móvil en modo vibra-
ción. Salió del recinto y se fue a la acera. Algunos de los que ahí
estaban, me dijeron: "en realidad toca muy mal".

Bueno, Dios también es *providente*: Todo lo que va a ocurrir Dios lo prevé. Él creó el universo. Los rabinos son sus
líderes espirituales, y las sinagogas, sus templos. El universo comenzó dos milenios a. C. Los judíos consideran que a
partir del siglo I d. C., cuando iniciaron su lucha fuerte, se
inicia el verdadero judaísmo. Fue entonces cuando el ejército
romano al mando de Tito los reprimió brutalmente. Fueron
expulsados de su tierra a la que llamaron Palestina (revuelta
de Bar Kohva). Esperan la aparición del mesías, enviado de

Dios. Los cristianos creen que Jesucristo es el mesías que se anunciaba en el Antiguo Testamento. No había dudas. Raúl era un experto. Y se mostraba tan feliz cuando me hablaba del tema, que me gustaba y yo callaba.

—Para el islam —me decía—, el mesías aún no ha llegado. Jesucristo no es el mesías.

—¿No? —le pregunté algo intrigado.

—No, aunque sí se acepta que existió el hombre Jesús, hebreo.

Durante una de esas reuniones, se nos acercó un predicador evangélico. Era peruano y muy cordial. Nos había estado escuchando conversar y nos quiso comentar dos cosas en muy poco tiempo. Era un hombre de mirada muy afectuosa, bajito y algo gordito, con rasgos indígenas. No quisimos hacerle un feo y le escuchamos. Nos preguntó:

—¿Conocen la parábola del sembrador? —Raúl dijo que sí; yo fui sincero, y dije que no—. Se la contaré.

—Está en Mateo 13, en la Biblia Reina Valera de 1960, para comenzar a ubicarnos —señaló, y continuó—: Jesús hablaba en parábolas, que son breves narraciones llenas de simbolismo, de las que podemos extraer una enseñanza moral. La parábola dice así: "Había un sembrador de semillas, cuyas semillas, en general, caían en tierra estéril, pero algunas cayeron en tierra fértil y dieron fruto enormemente, el que tenga oídos para oír, que oiga. Sus discípulos le preguntaron: '¿Por qué hablas en parábolas?', 'Porque viendo, no ven y oyendo no oyen ni entienden'".

Personalmente me estaba acordando de mis participaciones en las redes sociales. Cuando comentaba algo, mucha gente no me entendía. ¡Es terrible!, pareciera que se escribe en otro idioma.

—¿Conocen el Salmo 23?

Rápidamente le dije que sí, Raúl no dijo nada. Yo lo conocía, ya que a mi madre, Eileen Campbell, le encantaba, y espero que ella esté en ese valle que deseaba. Luego este pastor, con mucho cuidado, respeto, y mirada dulce, procedió a leernos el Salmo 23:

Salmo 23: El Señor es mi pastor, nada me faltará. Conformará mi alma y aunque ande en valle de sombra de muerte, no temeré mal alguno, porque Tú estarás conmigo. Tu vara y tu cayado me infundirán aliento. El bien y su misericordia me seguirán todos los días de mi vida, y en Su casa moraré por largos días.

Este Salmo se quedó tallado en mi mente como si fueran las Leyes de Moisés. Me venía como *anillo al dedo.* Yo estaba *en el valle de sombra de la muerte.*

Ya había llegado. Raúl no estaba, pero sí mi amigo secreto, el gnomo Jowal. Faltaban diez minutos para las seis. Nos guiñamos el ojo con Jowal.

Hyde Park

Raúl apareció, con su docta parsimonia. *Sin prisa, pero sin pausa.* Nos saludamos: *puño-palma-puño,* pero lo hicimos en señas, a distancia, reafirmado con un hola. Ya debíamos cuidarnos, aunque el primer ministro británico se despreocupaba de dar buenas órdenes al respecto. La problemática de salud en España, Italia y China era alarmante. Miramos alrededor si no había algún musulmán al que pudiéramos haber ofendido nuevamente. Nos reímos, ambos pensábamos lo mismo. Jowal también *rio*, pero en silencio, bueno, silencio para Raúl. Le dije a este último si le gustaría participar de un secreto hermoso, y ser amigo de alguien al que conoce, aunque lo podría conocer de otra forma. Quedó muy intrigado, me dijo de inmediato que sí. Nos miramos con Jowal.

—Cierra los ojos —le dije entusiasmado, ya que de este modo podríamos los tres ser amigos. Yo podría compartir mi amistad con Jowal.

Cerró los ojos.

—Ábrelos ahora.

Los abrió y quedó paralizado, pero con una expresión placentera a punto de gritar sordamente. Nada más abrir los ojos, vio a Jowal, transformado ahora ante sus ojos en un ser animado.

—¡Te lo dije, William!, los gnomos existen y tienen la misión de cuidar a un ser humano de por vida. Cuando esta persona lo llama, o lo piensa, se le aparece. —Ciertamente Raúl siempre me lo había dicho.

Se dieron un guiñe de ojo como saludo. Nos sentamos los tres. Mi espíritu estaba más alegre por dos razones: el Salmo 23 me tranquilizó, y por ver a mis dos grandes amigos ahora juntos, y ser como los tres mosqueteros, personajes de aquella novela de Alejandro Dumas: Aramis, Athos, d'Artagnan y Porthos: "uno para todos y todos para uno". Me sentí feliz en el momento en que mi amigo, ahora menos secreto, es decir, no secreto para Raúl, comenzó a hablarnos.

—Deseo proponeros a vosotros un viaje inolvidable. Sois sudamericanos y sé perfectamente que en el jardín infantil de Miss Fischer dibujasteis una carabela...

—¿Calavera? —interrumpió Raúl.

—No, ¡vaya!, carabela, la nave de Cristóbal Colón. Os propongo algo. Mañana sábado, 14 de marzo, podríamos hacer un viaje en una nao del futuro, del 2100, que va a viajar al pasado, al año 1492, y que, por mis muy secretos contactos, puede venir mañana mismo acá para invitarnos. ¿Os parece bien?

—¡Desde luego! —respondimos al unísono con Raúl.

—Entonces, quedamos en eso. ¿Algún deseo oculto vuestro que deseéis realizar? —preguntó Jowal, mirándome con picardía.

—Sí —respondí muy fuerte y seguro—, deseo viajar a la Sevilla del sábado, 17 de octubre de 1503, como consta en los archivos de la Santa Inquisición española, cuando se celebró el juicio contra Alejandra la Grande. Y Raúl podría ayudarme a ver si logro cambiar la historia y la salvo de morir quemada.

—Hagamos lo siguiente. Hablemos un poco ahora, para tranquilizarnos: contadme de vuestra amistad, vuestras conversaciones de los jueves, vuestra vida. Mañana os juntaréis conmigo acá a la misma hora: 18:00. Cerraréis vuestros ojos, yo evocaré a mi contacto y embarcaremos en la nao hacia América. Mis contactos tienen un viaje programado; entre ellos irá una familia gallega, ya lo sabréis. Estaremos de regreso muy de madrugada el domingo 15 de marzo. Y ese domingo viajaremos en la misma nao y nos juntaremos a las 08:00 para asistir al juicio de Alejandra el sábado 17 de octubre de 1503. El lunes puedes ir como deseas, William, a un paseo en solitario a Trafalgar Square y a la National Gallery. La nao, estará ocupada con turismo toda la semana para ir a la prehistoria.

—Excelente, Jowal —dije—, pero resulta que saldríamos el domingo a Sevilla, y el juicio fue un sábado, como averigüé en la British Library.

—Esa información es fidedigna —reafirmó Raúl.

—No hay problema. No os olvidéis que viajaremos al pasado, la fecha la ponen en la nao, una suerte de GPS que permite llegar al lugar, fecha y hora que se le programe. Cosas que vendrán en este mundo —puntualizó Jowal.

§

Quedaron de acuerdo. Parecían los tres mosqueteros, como decían. Serían acontecimientos muy importantes para William. Un futuro incierto.

—Tenías que aparecer *narrador de tercera persona, el omnisciente*. Haremos lo siguiente dependiendo de tus intromisiones. Te dejaremos ser el d'Artagnan.

—Acepto: "¡Todos para uno y uno para todos!". No intervendré demasiado —señalé, agradecido, a William. No interferiría.

—Error: "¡Uno para todos y todos para uno!" —lo corregí de buen ánimo.

—Es curioso, Jowal, cómo en nuestra lengua, me refiero a la mía, al castellano, se puede *tutear* y *ustear*. En singular y en plural.

174

—¡Contadme! —sonrió Jowal, esperando la explicación de cualquiera de las dos formas.

—Aunque hablamos, ya lo he dicho, por telepatía—aclaró William aprontándose a explicarle y haciendo gala de sus conocimientos lingüísticos.

—Muy sencillo, te lo explicaré con un ejemplo. A ver, dime un verbo —le pidió a Jowal.

—*Cantar*— le pareció un verbo divertido al amigo secreto.

—Tutear: «tú cantas», singular, segunda persona, modo indicativo, tiempo presente. «Vosotros cantáis», plural, segunda persona, modo indicativo, tiempo presente. Ustear: «Usted canta», singular, segunda persona, modo indicativo, tiempo presente. «Ustedes cantan», plural, segunda persona, modo indicativo, tiempo presente.

—Me parece estupendo —indicó Jowal—. Vosotros habéis hablado mucho de religión. En ese sentido, Raúl, ¿podrías tú hablarnos acerca de la Torá y demás? Fijaros ambos que no dije, dirigiéndome a Raúl, *podríais*, ya que lo estaría pluralizando, y eso es incorrecto —señaló muy orgulloso Jowal, más aún al ver la cara de satisfacción de William. Jowal había aprendido la clase reciente. Comenzó Raúl, para agrado de todos, incluso mío, *como narrador de tercera persona*. Podía tomarme una pausa. Raúl parecía un rabino hablando en la sinagoga a la congregación.

—La Torá es el texto que contiene la ley y el patrimonio identitario del pueblo judío; es llamada Pentateuco en el cristianismo; y constituye la base y el fundamento del judaísmo.

”Para el judaísmo, la Torá es la *Ley*. Según la tradición judía, involucra la totalidad de la revelación y enseñanza divina

175

SI SE PUEDE, TENGO LA OPORTUNIDAD O ME DEJAN

otorgada al pueblo de Israel. Considerando la importancia de Moisés en este proceso, ambas denominaciones a veces se refieren a la Torá como la *ley de Moisés*, o *ley mosaica*, o, incluso, *ley escrita de Moisés*: puesto que en el judaísmo, la Torá comprende tanto la *ley escrita* como la *ley oral*. Ello no es arbitrario dado que, en su sentido estricto, el término Torá se refiere específicamente a los cinco primeros libros bíblicos, es decir, al Pentateuco, al que se conoce también como los *cinco libros de Moisés*. Torá significa *piedra preciosa* en su sentido más amplio, cuando la palabra incluye todos los libros de la Biblia hebrea.

El Pentateuco

"Génesis, (En el comienzo), *Éxodo*, (Nombres), Levítico, (Y llamó), Números, (En el desierto), Deuteronomio, (Palabras, Cosas, Leyes). Tanto la Torá como el Tanaj constituyen aquello que los cristianos denominan Antiguo Testamento. Por último, los judíos utilizan la palabra Torá para referirse también a la Mishná, la ley oral, desarrollada durante siglos y compilada en el siglo II por Yehudah Hanasí.

Ambos aplaudieron a Raúl, quien mantuvo un rostro ufano.

Habló enseguida Jowal:

—Ya, William, ahora te corresponde a ti, explicadnos algo del cristianismo —ordenó en súplica. Tanto Raúl como él miraron a William para que procediera a hablar. A buen seguro me correspondería mi segunda pausa. ¡Bien!

—Tengo cierta complicación, ya que he sido creyente. Luego he dudado al ver la forma de actuar de pastores y curas respecto al cristianismo. Hay diferencias entre católicos y protestantes evangélicos, aunque desconozco exactamente en qué radican, a no ser en que los católicos creen mucho en la Virgen María y le quitan protagonismo a Jesucristo, "el verdadero camino a Dios", como se dice en la Biblia. Ocurrió en la Boda de Caná, en Galilea, donde Jesús y su madre eran parte de los invitados (Juan 2:1-11). Faltó el vino y le dice María a Jesús: "no hay vino", Jesús le responde: "Qué tenemos que ver yo y tú, mujer, aún no ha llegado mi hora". La madre insiste y dice a los sirvientes: "haced todo cuanto Jesús os diga". Él ordena: "llenad esas seis "hidrias" (vasijas de cerámica de la Antigua Grecia) de agua". En cada una cabía de dos a tres metretas (aproximadamente cuarenta litros). Finalmente llevaron las ánforas al salón de reunión y todos agradecieron, ya que vieron que el mejor vino se había servido entonces, y no como se solía hacer: distribuir buen vino al comenzar y luego, estando todos bebidos, poner un vino de menor calidad.

"Había vuelto a creer gracias a la Mujer Fantasma. Pero por su mala demostración, dejé mi creencia estacionada de nuevo. Viene mi mala salud. Recordé hoy el Salmo 23, que gustaba a mi madre. Lo tengo complicado —acabó William, esta vez no hubo aplausos. Solo rostros apesadumbrados.

Jowal intervino:

—Los judíos, como sabréis, prohíben el consumo de sangre. (Levítico 7:26), está en el Talmud, donde recogen tradiciones hebreas como esta. La carne comestible para los judíos es la carne *kósher*, a la que se le extrae la sangre enjuagándola y salándola, o asándola al fuego... —Raúl asentía con la mirada. Jowal continuó—: Sabemos que "creer es conocer", como dicen por ahí. Podríamos hablar de dos tipos de religiones o creencias.

—¿Cuáles? —preguntó William.

—Las exotéricas o externas míticas: cristianismo, judaísmo, islamismo, budismo, hinduismo y otras, son literales, creen a *raja tabla*. Cristianos: "Jesús nació de la Virgen María". Judíos: "Moisés separó las aguas". Hindúes: "El mundo reposa sobre la espalda de un elefante, y este elefante, sobre una tortuga, y la tortuga sobre una serpiente".

—¿Y la serpiente en qué se apoya? —preguntó Raúl.

—Pues ahí ellos eluden la respuesta. No se debe creer a pie puntillas y literalmente todo. Es cosa de *creencias,* no de *evidencias.* Creer por fe —descansó Jowal y William aprovechó para intervenir.

—Dicen algunos que la fe "es creer en algo sabiendo que es mentira".

—Podría ser, William. Se trata de creer y no interesa la evidencia.

—Luego vienen las religiones llamadas esotéricas, ocultas o místicas. Son las de los científicos. Parten de la convicción de que todo es igual: el misticismo. La química es la misma en China, España, Chile o Alemania. Se debe experimentar en la conciencia. Importa la evidencia.

—Jowal, nos gustaría, y creo interpretar la mirada de Raúl, que nos hicieras un paralelo de las tres religiones monoteístas y el hinduismo. Hemos tenido algunos problemas con musulmanes. Nuestro saludo *puño-palma-puño* ha sido lo que los gatilló. Raúl es judío, y yo, "ni chicha ni limonada" de momento, pero cristiano de línea. —Para mí fue estupendo, otra pausa como *relator omnisciente.*

—¡Perfecto! Los que más fieles tienen en el mismo orden decreciente son el cristianismo, el islamismo, el hinduismo y el judaísmo. Las advocaciones de cada una de las religiones son en cada caso los siguientes: a) cristianos: Rey de Reyes; Señor de Señores; Señor de los Ejércitos; Dios Padre; Abba; Padre, Hijo, Espíritu Santo. b) Judíos: Yahveh, Jehová (Salmos 83:1). El mesías aún no ha llegado, no es Jesús el que se anuncia en el Antiguo Testamento. Abraham y Moisés son los patriarcas. c) Islamismo: "Yo soy el que soy". Alá (Allah) es su dios. También reconocen a Abraham, el patriarca de los judíos y le dan importancia central al profeta Mahoma (Mohammad).

—Como Mohammad Alí —interrumpió William.

—Sí —asintió Jowal y continuó—: d) hinduismo: según los shivaístas, es Shivá su dios supremo; según los *vishnuístas* es Vishnú (o *Visnú*, si prefieren). También está Brahma.

El primer dios nació en la tierra y se llamó Tuisto, de las tribus germánicas. Era andrógino. Fue el primer dios correcto. Tuvo un hijo, Mannus que, a su vez, tuvo tres hijos... Los escandinavos le llaman Buri; su hijo fue Bor, y de este nació Odín.

—De allí que puedan ser considerados extraterrestres —sugirió William, pensando en todo lo visto en el Museo Británico sobre Tutankamón y los egipcios.

—Veamos ahora otro aspecto de las religiones —continuó Jowal, sin pausa.

Sus profetas

—Entre los profetas del islam, el judaísmo y el cristianismo, Abraham (o Abram, si prefieren), es el primero de los tres profetas de los judíos. (Salmos 85:11). Tuvo tres esposas: Sarai (o Sara, si prefieren), Cetura y Agar; y doce hijos, *las doce tribus de Israel*. Había pasado la época fértil de él (tenía 99 años) y de su esposa Sara, y Jehová les promete un hijo, al que llamaron *Isaac*. Jehová le pidió a Abraham que sacrificara a su hijo a nombre suyo. Lo iba a hacer y Dios le detuvo la mano. Apareció entre los arbustos un cordero, y Abram sacrificó el cordero a nombre de Dios. Entonces lo premió Jehová, quien le dijo que fundara el pueblo de Israel con doce tribus: así fundó el judaísmo. Este hecho demuestra dos cosas: la fe de Abraham, quien está dispuesto a entregar a su propio hijo; y, como dicen los católicos, que Dios padre entregó a su propio hijo Jesucristo para morir en la cruz, a fin de salvarnos del pecado original. Islam: Mahoma. Cristianismo: Jesucristo. Judíos: pues Abraham.

—Están bastante mezcladas las tres religiones monoteístas —comentó Raúl.

—Lo están. Ciertamente, se amalgaman: se las llama religiones abrahámicas, de Abraham. Ahora les hablaré de sus libros sagrados. Cristianismo: la Biblia, que incluye Antiguo Testamento y el Nuevo Testamento. Judaísmo: la Torá (Proverbios 1:8, 3:1; 28:4), Talmud y otros. La Torá se refiere a los cinco libros del Antiguo Testamento, el Pentateuco o la Doctrina. Y finalmente está el Talmud, que contiene la muy importante tradición oral judía. Islamismo: el Corán. E hinduismo: Rig-veda, en realidad, son muy numerosos.

Jowal estaba demostrando su gran sapiencia acerca de las religiones. Tanto Raúl como William querían más. Por mi parte estaba feliz. Más descanso para mí. Raúl le preguntó a Jowal:

—Y tú, gnomo Jowal, ¿tienes algún dios, por malo que sea?

Jowal lanzó una carcajada y contestó:

—Sí, tenemos a Gob, el demonio de la tierra y las cosas subterráneas. Promueve los hundimientos y los terremotos, tan conocidos en Chile, y que vosotros habéis vivido. Nosotros, los gnomos, somos muy especiales en nuestro trabajo de *ángeles de la guarda* (o *guardianes* de *los seres humanos*, como prefiráis). Podemos viajar a *velocidades mentales* con *la imaginación*, lo que la ciencia logrará ya en el 2100. Lo comprobaréis mañana, se puede hacer. Hemos estado dentro de las pirámides egipcias, mexicanas, peruanas, bolivianas, chinas y otras más; todo permitido por los dioses; sin necesidad de iluminación, pues tenemos iluminación divina. Esta es la gran explicación para comprender cómo se han construido las pirámides, sin antorchas ni generadores eléctricos. Es iluminación divina.

"En la mitología griega, Ágata, la menor de tres hermanas, era considerada como Afrodita. Fue una princesa muy hermosa, según los seguidores del esoterismo o de lo oculto a los sentidos. Es la magia. Es creer en la tierra hueca, con estalagmitas y estalactitas, como nuestro hábitat, comprenderéis, el reino de los gnomos. Se supone que ambos polos son los centros de los ejes, y que el ecuador es la mitad. Sabido es que esa *mitad* no es correcta —hemisferio norte (*boreal* o *septentrional*, si preferís) y hemisferio sur (*austral* o *meridional*, si preferís)—. Nos han mentido, hay más norte que sur, hay más mentiras que realidad, hay más mitos y leyendas que verdad. De allí que en el ecuador, hacia el norte, al dejar caer el agua en el lavamanos, se va por el orificio girando hacia la derecha; y cuando es en el sur, se va por la izquierda, lo que se debe al efecto que los científicos llaman *coriolis*, efecto producido por la rotación de la tierra.

—O por extraterrestres —interrumpió William.

—O por extraterrestres —afirmó Jowal, y continuó—: De cualquier manera, hay un antes y un después a resolver. Somos los gnomos nómadas, no nos quedamos quietos, no somos sedentarios, sino verdaderos viajeros por el mundo subterráneo. Está muy de moda intentar explicar las cosas, como los católicos o cristianos desde los antiguos prioratos de Sion (o fortaleza del rubio rey David, si preferís), aquellos de la orden de los caballeros templarios que buscaban recuperar la Tierra Santa. Los monjes de las Cruzadas.

—Cuéntanos del rey David —suplicó Raúl, como buen judío.

—David fue bendecido por Dios. Aunque también tuvo sus *yayitas* (como decís vosotros los chilenos al referiros a errores o pecados): fue adúltero y asesino. Pero era justo, apasionado, un guerrero valiente, un profeta de Dios, músico y poeta. Gobernó a Israel treinta y tres años. Fue autor de muchos de los salmos de la Biblia.

Aquí interrumpió William para preguntar algo:

—¿Del Salmo 23?

—Del Salmo 23 también, William. Ese que le gustaba tanto a Eileen, tu madre.

—¿Y cómo era físicamente? —fue la pregunta de Raúl.

—Pues era bajo de estatura. Ágil, cabello corto y rubio. Guapo. —Nueva pregunta de William, al parecer ahora no podré descansar, ¡ufff!

—¿Es el que peleó con Goliat?

—El mismísimo. Aunque David era bajo y Goliat era un gigante de casi dos metros. Los gigantes en aquella época llegaban algunos hasta más de cinco metros. (1ro. Samuel 17:4, 5:7). —Interviene ávido William, más convencido de los extraterrestres. Pero deseaba preguntarle a Jowal acerca del alma.

—¿Los perros tienen alma y se van al cielo luego de morir?, ¿el alma del ser humano va a la eternidad?

—Hay mucho que decir... —Mejor, así tendré una pausa larga como relator de tercera persona—. Sabemos que el ser humano es materia: huesos y aparatos (respiratorio, digestivo, excretor o urinario, reproductor, locomotor y cardiovascular).

—¿Y el sistema nervioso? —preocupado por los asuntos de la operación que le esperaba, interrumpió William.

—Las contracciones eléctricas o neurológicas permiten que el corazón lata aun al trasplantarse a otro cuerpo. Las señales eléctricas se distribuyen por el sistema nervioso, que es el encargado de su transmisión y que se divide en *sistema nervioso central*: encéfalo (cerebro, cerebelo, tallo encefálico y médula espinal) y *sistema nervioso periférico*: somático y autónomo (simpático, parasimpático y entérico). A vosotros que os baste con estas explicaciones. Más parecería la clase de una escuela de medicina.

—Es que... algún día les contaré *"si se puede, tengo la oportunidad o me dejan"* —se defendió William, y Jowal continuó:

—Ahora, el ser humano no es solo materia. Tiene un *alma*, que es el *soplo de vida*. Cuando una persona está cabizbaja por algún problema, se dice *que anda desanimada,* es decir, sin alma. En la Biblia y el Corán, Dios creó al primer ser humano: Adán (o *Adam*, si preferís) *(esposa:* Eva; *hijos:* Caín, Abel y Set. Ya sabéis que Caín, el primogénito, mató por celos a Abel). Adán fue hecho de barro, luego Dios le sopló la nariz y fue el hombre "alma viviente" (Génesis 30). Alma es *ánima*. Es un algo inmaterial. Aristóteles la llamaba *principio vital*. Así, el ser humano tiene sentimientos, instintos, emociones y decisiones libres (para que no se culpe a Dios de las cosas malas que el mismo hombre hace): es el *libre albedrío*.

William interrumpió diciendo:

—Soy administrador de empresas de profesión, estudié en el Instituto de Los Lagos, de la Universidad de Los lagos de Chile. En la asignatura de administración nos enseñaron que "la suma de las partes no hace el todo". Lo mismo en el ser humano. Todos sus aparatos y lo demás no lo hacen ser humano, le falta el *alma*. Nos decían que las partes de la administración eran *planificar, organizar, dirigir, controlar,* y que el papel que cumple el *alma* en el ser humano debe ser la administración, que, a su vez, para ser tal necesita la *coordinación*. Si no hay coordinación, no hay administración; como si no hay *alma*, no hay ser humano —concluyó William.

—¿Y los perritos, Jowal?

—Los animales tienen alma, pero es un alma diferente: el *néfesh*. Vosotros los humanos tenéis dos almas: *néfesh,* el

184

alma ánima, la *fuerza vital*, los impulsos, los instintos animales, y *neshamá*, componente espiritual, la chispa divina, ese *soplo de vida* de Dios, la parte que anhela espiritualidad y cercanía a él. Hombres y animales tenéis amor, miedo, impulsos por procrear o huir del peligro. En ese aspecto los animales muchas veces os superan, ellos jamás "tropiezan dos veces con la misma piedra". A través del *alma divina* se puede establecer una relación con Dios. Es decir, *en la medida que el ser humano deje de ser animal, podrá ser más humano.* Que el placer sea ayudar a los demás. Es la eterna lucha de las almas del ser humano, que hoy nos tiene con la Covid-19. Al morir, el espíritu del hombre regresa a Dios (Eclesiastés 12:7), el alma, *soplo de vida*, no es carne, no es sangre (Génesis 2:7). El cuerpo regresa a la tierra (Génesis 3:19). Sabemos que el alma sin ciencia no es buena (Proverbios 19:2). El cuerpo sin espíritu está muerto (Santiago 2:26), y el cuerpo es el templo del Espíritu Santo (Corintios 6:19).

Resultaba un asunto muy interesante para William, se estaba olvidando por completo del problema de su operación. Parecía preocuparse por lo que ocurría después de la muerte. Preguntó a su amigo secreto, el gnomo Jowal, con su rostro tranquilo y concentrado en lo que este le contaba:

—¿Qué hay de las llamadas *dimensiones ocultas* de que suelen hablar los científicos?

—Como sabéis con claridad, hay primeramente tres dimensiones: longitud, profundidad y anchura, todas captadas por los sentidos humanos: oído, olfato, vista, gusto y tacto. Es algo físico.

"Pero existe la *cuarta* dimensión, una de las *ocultas*, como dices William. Pocos de vosotros la conocéis. Es una liberación de vosotros los humanos a través de los sueños. Tú, William, la posees. Tiene angustia, dolor, miedo. Podéis conocerla, pero no podéis participar e interactuar con ella. Es como ver a alguien de manera muy real, pero que ha sido como una aparición, un sueño.

"Hay muchas personas a punto de fallecer que dicen: "mi madre me ha venido a visitar, se sentó en esta parte de la cama. Me vino a buscar". Y la persona se siente tranquila, descansada. Sin temor alguno. Y muere hasta con una sonrisa en los labios. Con mucha paz interior. Ya no precisa morfina para el dolor, aunque el cáncer la esté comiendo. —William estuvo muy atento a esas últimas palabras, y Jowal continuó:

"Esa cuarta dimensión fue, William, el gran éxito de Poe y sus *Narraciones extraordinarias*. La otra dimensión oculta es la *quinta*. Es la superior, desde luego. Sin angustia, dolor o miedo. Es la que permitió la reencarnación de Alejandra. Aunque ella haya sido quemada por la Inquisición y sus cenizas tiradas al mar, veremos si podemos hacer algo para revertir aquello. Ella puede nacer de otros padres, con rasgos iguales o marcas en el cuerpo. Y, a través del sueño, puede ver cosas que a su antecesora persona le ocurrieron. Los sabremos mañana en nuestro viaje en la nao a Sevilla. No os preocupéis, ya estáis invitados por mí. Este será un viaje rápido. No tendremos ni hambre ni sed, ni frío ni calor. Es un viaje espiritual o energético. Pasaréis inadvertidos, a menos que yo haga algo para interactuar con alguien en el pasado. Veremos.

§

—A ustedes tres y al narrador de tercera persona no les gusta mi presencia, por ser *narrador de segunda persona*, solamente un testigo. Pero debo meterme para decir algo.

—¿Por qué no desapareces *testigo de segunda,* y me dejas a mí, como *omnisciente,* que relate las cosas? Estábamos tan bien sin ti, en armonía.

—A ver, "todos para uno y uno para todos". Yo como protagonista de esta narración, propongo que debemos permitir al narrador de *segunda persona,* como *testigo,* que intervenga cuando quiera —dijo William y el *narrador de tercera persona* interrumpió.

—"Uno para todos y todos para uno", será, pues, William. —Todos rieron.

—Yo, como narrador de segunda persona, por ahora me iré. Está oscureciendo. Ya intervendré, *si se puede, tengo la oportunidad o me dejan.* Adiós.

§

William frunció el ceño en clara actitud de querer enseñar su aspecto para hacer más verosímil todo. Oseó las pocas palomas, cercetas y otros pajarracos del parque. El ladrido de un perro, al que su dueña llamó Qwerty, terminó con la entretención de los jubilados que les tiraban migas de pan. Las avecillas volaron. A aquella hora, las pocas personas de la tercera edad aprovechaban el tímido sol primaveral para interactuar lúdicamente con las aves. Sus conversaciones trataban de los achaques de la edad, de "los años viejos". Cada uno se fue retirando, a medida que el sol caminaba a dormir. Hicimos lo mismo. En las calles había muchos menos vehículos. Este "estar en casa a voluntad", los ingleses lo tomaban en serio. La Covid-19 acechaba cual ave de rapiña.

§

Sábado, 14 de marzo del 2020

Ese era el gran día. Se encontraron conforme a lo acordado. Ojos cerrados, William más que Raúl, siguiendo las instrucciones de Jowal: mirad al suelo, agachad la cabeza, cerrad bien los ojos y sentiréis un poco de calor en el cuerpo, no os preocupéis. Percibiréis un suave sonido, habrá una luz. Nada os pasará. Oiréis un tintinear (o *tintinar*, si prefieren) como de campanas... Podéis abrir los ojos. Esta nao se llama Catamarán Magnético. Estaremos en un camarote sumamente privado, navegando por el Atlántico. —Así fue, y comenzaron a escuchar las voces y la vida de a bordo. Ese es un mundo particular, con una personalidad colectiva, como el de The Museum Tavern cada noche.

Nao futurista. Catamarán Magnético

—Nolan... Nolan..., despierta —zarandeando a su hijo le dijo Verónica, su madre, para que no fuera a perderse el espectáculo, siempre atractivo, de ver las carabelas de Colón navegando a vela por el Atlántico.

—¿Qué ocurre, mamá? —preguntó asustado el chaval, mientras se incorporaba con premura.

—La sirena de la nao está avisándonos que se pueden contemplar las imágenes de las carabelas de Colón en su primer viaje a América. Es algo que no siempre se puede ver, lo que los científicos de estos años 2100 llaman *fantasmadas caleuchanas*, aludiendo al famoso Caleuche chileno; ya te contaré su historia, hijo, *si se puede, tengo la oportunidad o me dejan*. Es nuestra suerte poderlas ver, como a las ballenas frente a las costas argentinas, más al sur, o a un volcán chileno en erupción con cielo despejado. ¡Vamos, hijo, subamos a cubierta! ¡Tu hermano mayor ya está allá! —ordenó, sin esperar respuesta, aquella mujer gordinflona, de mucho carácter.

—¿Quién es el capitán? —preguntó Raúl a Jowal.

—Es una máquina. En la fecha de construcción de la nao, ya hay inteligencia artificial más segura. Las naves solamente tienen tripulantes para ayudar a los pasajeros. Es el "efecto Eliza". Los estudiosos de este mundillo de la computación o informática establecen ya, ahora en el 2020, que el comportamiento de las máquinas se asemejará cada vez más al del ser humano. Incluso pueden estornudar, llorar. Hasta robots sexuales muy reales han fabricado. Es más, podrían hacer una Alejandra robot para satisfacción sexual tuya, William —dijo Jowal buscando una sonrisa de William, que no llegó.

—Jamás. Ya sabes, lo único que hace irrepetible al ser humano es ese soplo de vida, es el alma, es su narrativa, es su mirada.

»La inteligencia humana será igual a la inteligencia artificial o a la de una máquina; tarde o temprano, para allá vamos. Mira esta misma nave capitaneada por la precisión de una máquina. Se acabarán las escuelas navales; los héroes navales como el almirante Nelson, en Inglaterra; Arturo Prat, en Chile, o Miguel Grau, en Perú. No te extrañe que la máquina, que ya le gana al hombre, en tu tiempo, al ajedrez, pueda crear poemas o hermosas narrativas, como Alejandra. —Me quedé pensando: "¿*seré una* máquina de inteligencia artificial y no lo sé?". Espero que no.

§

Mi amigo secreto, el gnomo Jowal, Raúl y yo, como verdaderos fantasmas o entes inmateriales, estábamos viendo todo, sintiendo todo y escuchando todo, y nadie nos veía, sentía o escuchaba; pasábamos inadvertidos, lo que era un acuerdo. Estando en Sevilla, me prometió Jowal que yo podría, vistiéndome según la usanza, ser visible, sentible y oíble. No había dudas, las promesas de mi amigo secreto Jowal eran sencillamente fantásticas. Estábamos en el 2020, viajando en una nave del 2100 hacia el año 1492, y veíamos las naves de Cristóbal Colón, que se dirigían a la conquista de América. Bueno, ellos en ese instante pensaban que llegarían a la India. Otro camino para comprar especias. La tierra era redonda, se sostenía. El viaje prometido a la Sevilla del año 1503, en la época de la Inquisición, se veía muy cautivador. A ver qué podría hacer yo para salvar de la hoguera a Alejandra la Grande, para que, así, Alejandra Buckingham dejara de tener esas pesadillas y pudiera yo estar con ella para siempre, o lo que sea *mi siempre.*

Ambos, Nolan y Verónica, se dirigieron como los otros treinta pasajeros (lo que incluía a su hermano mayor, Daniel) a la cubierta de aquella nao, ahora con su marcha detenida, para continuar oyendo las explicaciones de un tripulante:

—El nombre de *nao* le fue dado por haber sido ese el primer medio de transporte, Catamarán Magnético, en atravesar y llegar a la costa americana, tal y como lo hiciera la nao Santa María de Cristóbal Colón. —Por ahí se encontraba otro tripulante con sus explicaciones—. Las carabelas las inventaron los portugueses y se diseñaron en la escuela de navegación de Sagres, formada por Enrique el Navegante. Don Enrique atrajo al cartógrafo mallorquín Jehuda (o *Jefuda*, si prefieren), Cresques, procedente de una familia de fabricantes de portulanos, como el famoso *Atlas catalán* de 1375, atribuido a él y a su padre, Cresques Abraham. El buque insignia Santa María era una nao, como llaman a nuestra embarcación por haber sido nosotros los primeros en atravesar el Atlántico en el Catamarán Magnético (era la retahíla de siempre). La Santa María tenía treinta y seis metros de eslora, esto es, de largo, tres mástiles; y era la nave más grande, que había arrendado Colón al armador cántabro, Juan de la Cosa, y que encalló en República Dominicana, donde sus restos terminaron transformados en un fuerte llamado Navidad. Luego venía La Niña, al mando de Vicente Yáñez Pinzón, con veintiséis tripulantes; y, después La Pinta, cuyo propietario era Cristóbal Quintero y estaba al mando de Martín Pinzón, secundado por su hermano Alonso. Tenía sesenta toneladas de peso y veinticuatro hombres conformaban su tripulación. "Muchos de nuestros pasajeros han visto en las costas chilenas al Caleuche. En el Triángulo de las Bermudas y en otras partes, estas son anomalías visuales que los científicos, allá por el año 2015, explicaron diciendo que se trataba de fenómenos retrospectivos producidos por las imágenes virtuales del pasado que pululan en la atmósfera y que se perfeccionaron con el invento del internet en ese pasado, ahora lejano. La materia se transforma en energía y viceversa (un postulado *einsteiniano* secundado por Stephen Hawking).

§

Ahora, comprobaban la teoría, pues hasta vieron a Cristóbal Colón dando órdenes a bordo. Esa era la *psicosis colectiva* imperante, hasta que poquito a poco en ese amanecer se fue diluyendo la visión, momento en que se oyó la orden por los altavoces (o *parlantes*, si preferís) de los *sensores auditivos* que llamaban a regresar a los camarotes y a prepararse para la llegada a la costa este de Suramérica. El viaje había sido muy corto, desde Hyde Park a South Hampton, y desde allí a América. Una aventura similar a la del Titanic, pero que ellos superarían, ya que no sucumbirían por iceberg alguno, y del mar subirían a la tierra para continuar su viaje. Efectivamente, habían llegado a Santos, ciudad conocida por Pelé, un antiguo jugador de fútbol, deporte originario del actual Shuckboll, que se juega montado en aquellos artefactos famosos de los corredores sin pierna, que lograban gran velocidad moviéndose con las puntas en forma de vaina para desplazarse con el balón en la remota Olimpíada de Londres del año 2012. Nolan era forofo del equipo inglés Week up, mientras su hermano lo era del equipo español, que reunía a los mejores deportistas de este juego; me refiero al equipo de Los Dormidos, un poco en broma, un poco en serio, por tratarse de un equipo de gallegos, que de dormidos nada tenían, como el mismo dictador de antaño, Francisco Franco. Curiosos y contradictorios nombres que se desdicen de lo que son en la realidad, *los mejores del mundo*. Los países seleccionan a su mejor equipo cada primer semestre, y el segundo semestre del año se enfrentan todos en la Gran Liga Internacional, que viene a reemplazar a los antiguos mundiales de fútbol. En esta liga cada plantel puede competir con los integrantes de su equipo independientemente de la nacionalidad. Este fue uno de los arreglos de las Naciones Unidas, por ahí por los años 2020, cuando sin abolirse y para luchar armónicamente contra la pandemia del virus Covid-19 y contra la hambruna, se abrieron las fronteras como antes se entendían y se permitió la creación de empresas internacionales para efectos científicos como en la Antártica y, en este caso, en los grandes telescopios del desierto de Atacama, en Chile, adonde se dirigía la familia Caramillo. Pero igualmente, en casa se producían grandes peleas entre ellos cuando se enfrentaban ambos equipos.

El padre de los niños, Carlos Caramillo, trabajaba en la empresa chino-norteamericana denominada CUACON, acrónimo inglés de *Chinese-USA Aerospace Convention*, que los chilenos llaman sencillamente Convenio Espacial

Chino-USA, suscrito cuando ambos países firmaron acuerdos de toda índole, y se transformaron de este modo en los dueños del mundo.

La verdad es que era un espectáculo para los treinta y dos viajantes, quienes no estaban acostumbrados a aquello, pues, como todas las leyendas, esta superaba a muchas, y ahora estaba transformada en realidad ante sus ojos: "Las tres carabelas de Colón, en su primer viaje a América", eslogan publicitario de esta compañía de servicios de viajes del Catamarán Magnético a ese continente: "Viaje con nosotros y si el recargo de ondas atmosféricas lo permite, verá las Carabelas de Colón". Otros más osados, en los viajes espaciales, invitaban a "traspasar sensaciones sentidas, para sentir sensaciones pasadas", como diciendo que si se viajaba *interespacialmente* con ellos, se podría, a través de los órganos de los sentidos, percibir olores, sensaciones, visiones, todas ellas ocurridas en tu pasado. Ello era posible por los adelantos de la ciencia respecto a fenómenos oníricos y de hipnosis, tan lejanos ahora del famoso Sigmund Freud. Ni él mismo se hubiera imaginado que sus teorías se pusieran de moda debido a los estudios de la sensología mental, desarrollo gracias al cual se pudo reemplazar partes funcionales del cerebro humano que conservan el subconsciente. ¡Qué lejos estaban para estos catamaranes magnéticos los viajes entre Europa y América allá por el 1900 y más, en la época en que el Oravia, el Oropesa, y tantos otros ofrecían en sus viajes hasta "médico a bordo" en la PSNC (Pacific Steam Navegation Company) desde Chile a Europa! Verónica, la madre de Nolan y Daniel, siempre decía a sus hijos:

—Revisad en los filtros intermodales de vuestros *libros-cibernéticos*, los resguardos de archivos históricos del mundo y *sabréis*. Ya que conociendo el pasado podréis comprender las formas vivientes del presente y podréis proyectaros con bases sólidas en vuestro saber futuro.

¡Qué ciertas estas palabras! Los jóvenes no podían dudar de aquella bella rubia de mirada celestial, ejemplo de madre y ansiosa de poder volver a ver a Carlos Caramillo, su gallego esposo: **Cacá,** como le mofaban los amigos más íntimos del círculo gallego londinense, al cual pertenecían.

Se escuchó por los sensores auditivos la orden: "¡Pon la mesana!", que no era otra cosa que el utilizar la jerga náutica de antaño, de Colón, para decirles a los pasajeros que se acercaran al comedor para almorzar, antes de arribar a la costa y comenzar el viaje sobre la tierra, con las turbulencias que tanto asustaban a Nolan.

Estas naos eran muy parecidas a esas naves coloniales. Tenían entre treinta y cuarenta metros de eslora (de largo), otro tanto de manga (de ancho), tres antenas similares a los mástiles de la Santa María y, como si fuera poco, una cantidad, entre pasajeros y tripulantes, similar a la de quienes acompañaban a Cristóbal Colón. Carlos siempre *orgullaba* (me refiero a que se sentía orgulloso, no creo estar inventando una palabra). Les había hablado a sus hijos acerca de que la Santa María había sido construida en astilleros de Galicia. Cierto o no, ahí se acercaban a tierra. Se habían servido una empanada gallega con zumo de frutas, esta vez de arándanos, y unos plátanos de esos que venden dentro de una masa de hoja, rellenos de nata y rociados de caramelo de *kiwi-maní*, que los españoles llamaban *kiwi-cacahuate,* una mezcla tan de moda con la que se aprovechan del maní, los beneficios antioxidantes y de lucha contra el cáncer. El kiwi, otro campeón de la vitamina C y también antioxidante, todo acaramelado con miel, el gran fortalecedor de huesos y músculos, tan importante para los niños y jóvenes de estos años, en que se pasan horas frente a las pantallas interconectadas del mundo y de la estratósfera para comunicarse, jugar e intercambiar palabras, sonidos, música, olores y las colecciones que se materializan a través de los *transformadores corpóreos.* Esas máquinas, ahora portátiles y de bajo costo, son similares a las antiguas impresoras láser, en que una imagen se imprimía y se podía ver. Acá se pueden transformar pequeños volúmenes de cosas corporales. Para ampliar a tamaños más grandes, se debe ir a la tienda de impresión, pagar mucho dinero o entregar *trabajo a cambio* (que es una forma de abaratar costos), y regresar en tres días para recibir aquel mueble, recuerdo, o sencillamente ese capricho hecho realidad.

Ya estaban, sin sentirlo, nuevamente en Hyde Park, y no había pasado más de media hora.

Sevilla
Reunión con Diego de Jerez: miembro familiar

Estábamos los tres, Jowal, Raúl y yo, a pocas calles de donde se celebraría algunas horas más tarde el juicio contra Alejandra la Grande. Jowal tenía una información muy buena. Nos íbamos a entrevistar, los tres, vestidos a usanza de la época:

calzones ajustados y largos; arriba, un cubrepecho suelto, con cinturón y bolsillos colgantes de cuero; y un pañuelo sobre la cabeza. Hasta Jowal se veía mejor y más alto. Nos miramos los tres satisfechamente. Tocamos la aldaba de la puerta. A los pocos minutos apareció un anciano de barba blanca, como Jowal o el señor Lebensbaum. Jowal y el anciano se miraron la barba e, inconscientemente, se la acariciaron a sí mismos.

—Pasad —dijo—, mi nombre es Diego de Jerez, soy un anciano muy respetado, he sido *ayo*, esto es, encargado de la educación y crianza de monseñor Juan de Zúñiga y Pimentel, arzobispo de Sevilla. Os estaba esperando, venid por favor a mi humilde vivienda. Permitidme serviros una limonada. —Trajo cuatro jarras de metal con un jarrón, y procedió a servir. Acto seguido fuimos bebiendo y conversando. Jowal, cómo no, tomó la palabra:

—Deseamos, por favor, nos indiquéis los procedimientos y las posibilidades que tiene la acusada.

—Os seré muy detallista. La acusación en su contra es grave. En su defensa por el llamado proceso de Abonos, puedo defenderla siendo su testigo. Contra el proceso de Tachas, que es donde la acusan, ya he podido, en parte, mostrar y demostrar, en anteriores interrogatorios individuales, que los tres acusadores, compañeros de Alejandra en la fábrica alfarera, han sido incongruentes.

Interrumpí, para enterarme de las acusaciones:

—¿Cuáles son las acusaciones, por favor?

—Tenéis que saber que son muy graves: herejía, sodomía, bigamia, y atentado contra la moral sexual.

Repregunté:

—¿Bigamia?

—Así es, ella está casada con un ciudadano inglés. Y se sospecha, además, que, por ese hecho, atente contra la Santa Iglesia Católica. La posibilidad de que sea, encubierta, una protestante es grande, y eso la Iglesia Católica no lo permite. Debéis saber algunas cosas. El Santo Padre Pío III, cuyo nombre secular es *Francesco Nami Todeschini,* que comenzó su papado el XXII-IX-MDIII, está muy enfermo; y se teme lo peor por la ulceración de una pierna. Por lo tanto, los reyes católicos, Fernando II de Aragón e Isabel la Católica, están más preocupados por eso. Es el papa la autoridad superior, y él ha nombrado inquisidor general a don Diego de Deza, quien, precisamente es mi vecino y vive enfrente. La Santa Inquisición, (*Inquisición Española* o *Congregación del Santo Oficio,* si preferís), está a cargo del Consejo de la Suprema y General Inquisición; que aprueba también el papa y tiene seis miembros nombrados por el reino de España. Bajo ellos está el Tribunal del Santo Oficio, que funcionará como tribunal en la iglesia de la Magdalena. En estos momentos la acusada está encerrada en el castillo de San Jorge.

—¿A quiénes veremos en la sala? —pregunté algo preocupado, aprovechando de mirar el entorno: palmatorias, cuadros oscuros, butacas algo raídas, y la madera del suelo cubierta con una alfombra de gruesa tela.

—Veremos al inquisidor general, mi vecino don Diego de Deza, una buena carta a nuestro favor. Él es un jurista cualificado, conocedor absoluto de artículos del futuro Código Canónico, de lenta elaboración, pero que algún día llegará. Es un ser humano amable y con apariencia de hombre justo, dentro de estos parámetros. Dictaminará justicia con el edicto, que redactará el notario del secreto y que lee el nuncio. Estará el alguacil y su ayudante, quienes traerán a Alejandra. El alguacil es el encargado de su custodia. También estará el fiscal, que se encarga de las acusaciones, conforme a los testigos y al acusador, quienes no estarán presentes para evitar represalias por parte de la acusada o de sus familiares. Su ayudante es el procurador del fiscal, quien elabora las denuncias. Don Diego de Deza y yo interrogamos a los acusadores-testigos por separado y encontramos contradicciones, por lo que no fue preciso hacer los *trabajos duros de investigación* a la acusada. A ver si todas las declaraciones coinciden. Sobre todo, las de los acusadores; ya que si hay contradicciones, que averiguaremos en el tribunal, el juicio podría ser anulado y la acusada quedar en libertad. En caso de que se produzca este hecho, se le deja libre, pero diciendo lo siguiente: "en cualquier momento se podría reabrir la investigación". Esto, ya que el tribunal no desea quedar mal, y reconocer su error. Cuidan así, en el edicto, su imagen como tribunal. Habrá tres secretarios: el *notario de secuestro*, quien ya se encargó de quitar todos los bienes a la acusada; el *notario del secreto*, que anota las acusaciones (lo que señala el acusado y el edicto), y finalmente, el *escribano general*, secretario del tribunal. Además de todos estos, estarán el alguacil y el ayudante que traerán a la acusada, el nuncio que leerá el edicto, el alcalde y el carcelero encargado de su alimentación; *familiares*, como se llama esta figura legal, y que somos yo y otros. Nosotros somos colaboradores laicos del tribunal. Los nobles generalmente quieren estos cargos, ya que dan prestigio popular. Pero, de preferencia se eligen a personas del pueblo, como yo. Duramos dos años en el cargo. Finalmente están los comisarios, que son sacerdotes ocasionales que colaboran con el Santo Oficio en temas puntales de investigación. El inquisidor, mira; el escribano, escribe; el verdugo; tortura. Es lo que tenéis.

Miré a mi amigo secreto, el gnomo Jowal, y telepáticamente le pregunté:

—<¿Qué quiere Diego de Jerez decir con *trabajos duros de investigación*, amigo Jowal?>.

—<Significa que no fue torturada para que se declarara culpable. No pueden ellos decir abiertamente que torturan, aunque es un secreto a voces. Es un desprestigio total para la institución que representa la Santa Inquisición>. —Lo comprendí perfectamente, y los demás no se enteraron. Pregunté ahora a don Diego de Jerez:

—¿Qué tipo de sentencia podría sufrir?

—Debéis comprender que las acusaciones son fuertes y gravísimas. Básicamente, por experiencia, debo deciros que hay tres. Ser colgada de los pies, desnuda y con las piernas abiertas, y proceder a partir el cuerpo con una sierra desde la vagina hasta la cabeza, trabajo que hacen dos verdugos manejando la sierra cada uno por un lado. Otra posibilidad es desnudarla, colgarla atada en posición sedente, y hacerla descender lentamente hacia una plancha de acero al rojo vivo, calentada por una fogata que está debajo. Los alaridos de dolor son tan impresionantes como en el anterior castigo. La tercera posibilidad es que se ate a un tronco, desnuda, y alrededor se encienda una fogata. En este caso, los alaridos son peores. Poco a poco la carne se va asando y se expande ese olor a carne quemada.

Respecto a toda esta explicación, Jowal preguntó:

—¿Ha sido torturada?

—Como os dije, por el procedimiento se ha salvado de *trabajos duros de investigación* como la garrucha (amarrar las manos del acusado por la espalda, colgarlo e ir elevándolo lentamente: se le rompen los brazos y gime de dolor), el potro (estirarlo cada vez más hasta romperle las articulaciones) y el agua o aceite hirviendo (se obliga al acusado a coger una piedra caliente dentro de un recipiente con agua o aceite hirviendo. Cuando saca la mano, se le venda. Si en tres días la mano va sanándose, no es culpable; si no sana, es decir, si se va gangrenando, se le condena a muerte. La idea es que el acusado se declare culpable. Desde luego a quien se le acusa debe demostrar su inocencia. Alejandra se salvó de trabajos duros de investigación, ya que, como os señalé, uno de los acusadores entró en contradicción con los otros en mi presencia y en la de don Diego de Deza, lo que es perjurio, algo muy grave para los acusadores. Este es un buen precedente y una luz de esperanza para Alejandra la Grande. De cualquier forma, no desearía que el juicio quedara suspendido ya que hay una instancia llamada *proposiciones heréticas*, a donde se puede apelar en asuntos de bigamia, contra la moral sexual y coito anal, enviando una carta al papado. Pero conociendo los acontecimientos de la salud muy grave del actual papa, demoraría demasiado. Sería alargar la agonía. Alejandra además está muy débil. No soportaría. Ya veremos si ajustamos algo a esto más tarde. La prórroga del juicio sería de unos treinta a cuarenta días. Es mucho tiempo. Debo deciros que el sumo pontífice está muy grave. Y se ha especulado en la Santa Inquisición, que vosotros sois unos enviados de la Santa Sede para observar cómo se llevan a cabo estos juicios. De cualquier modo, en las altas esferas me han informado de vuestra presencia. Os doy la bienvenida.

"Bueno ya debemos irnos. Vuestro coche lo he encargado. El mío estará listo un rato después, nos veremos en el juicio.

§

Se despidieron, cubrieron sus cabezas y se acercaron a la salida. En el momento en que el vecino, Diego de Deza, entraba a su casa, para pronto salir a la iglesia de la Magdalena, le dijo a nuestro anfitrión, don Diego de Jerez, en voz alta:

—Mi estimado vecino, podéis venir conmigo en mi carruaje un rato más, ¿os parece?

Nuestro anfitrión, le contestó:

—Ciertamente, su señoría, nos iremos juntos; de este modo podremos conversar un momento antes. Gracias, Dios os bendiga.

Acto seguido, este anciano de barba blanca, nos miró y guiñó un ojo, al mejor estilo Jowal.

Juicio en la iglesia de la Magdalena

Nuestra presencia era percibida como de "enviados de la Santa Sede". Nos pareció muy bien, pues con el solo hecho de estar presentes en el juicio, ayudábamos a Alejandra la Grande.

La iglesia era espectacular. Altos *vitreaux* en los ventanales con figuras de monjes y vírgenes. A ambos lados del púlpito, unos caduceos de oro, que parecían permitir que las serpientes, símbolo del diablo, estuvieran a punto de escapar, dejando desnudas las ramas de olivo. En las paredes, figuras antropomorfas daban la impresión de que deseaban sangre, muerte. Un gran incensario (o *turíbulo*, si preferís). Dejaba aromático y humeante el ambiente. Colgaba desde lo alto, balanceado por un monje *de poca monta* (novato). Eso nos acompañaría durante todo el juicio.

Un maestro de ceremonia, indicó:

—Poneros de pie. Hará su entrada el reverendo don Diego de Deza; se introducirá al juicio. —Indudablemente me parecía un tanto extraña la expresión *se introducirá*, pero era, a buen seguro, la usanza de la época; yo diría *ingresará* o algo así. Antes de que entrara el Inquisidor, lo hizo don Diego de Jerez, nuestro anfitrión, quien estaría sentado no en la parte central, sino en una lateral; la otra estaba reservada para la acusada, los alguaciles y otros.

Luego de sentarnos todos, apareció Alejandra la Grande. Venía entrando acompañada de dos alguaciles, uno a cada lado. Cadenas en los tobillos, y las muñecas de las manos atadas por detrás. Un rostro moreno, demacrado; se veía muy desnutrida. Un lunar sobre la ceja izquierda, otro sobre la mejilla derecha, le daban un equilibrio de rostro impenetrable. Vestía un largo traje rojo, con un escote de corte vertical, que permitía ver unos pechos duros, pero pequeños; su cabello negro, ondulado y largo. La sentaron en una silla a un costado del tribunal. Todos la miraron. Había algunas miradas críticas, otras de misericordia, como la mía. Ella observó a la gente en torno suyo, y repentinamente me vio; yo no había dejado de hacerlo en ningún momento. Algo balbuceó con sus labios, no lo pude entender, quise pensar que dijo: "Hola, saludos a Alejandra Buckingham". Se puso de pie un fraile con una sotana marrón (me acordé del que vi en Abbey House). Era el nuncio, aprontándose a hablar.

—Todos de pie —ordenó, y todos nos pusimos de pie, hasta el inquisidor.

—Procederemos al juramento: ¿Juráis por Dios, el Santo Padre y por nuestros reyes, mantener en absoluto secreto cuanto viváis aquí?

Todos dijimos al unísono: "juramos".

—Entonces corresponde leer la acusación a doña Alejandra la Grande. Se os acusa de herejía, sodomía, bigamia, y atentado contra la moral sexual —dijo a la asamblea el nuncio, luego se dirigió a la acusada—: ¿Cómo os declaráis, culpable o inocente?

—Inocente —dijo ella, lo que se repitió tres veces para darlo por hecho. Enseguida se levantó el fiscal para interrogarla.

—¿Prometéis decir la verdad, la verdad, y nada más que la verdad en el nombre de Dios, la Santa Iglesia Católica, el Santo Padre y sus majestades los reyes?

—Juro —con una voz débil y entrecortada, señaló la acusada. Me dio mucha tristeza: era ver a mi Alejandra. Quería abrazarla, besarla, protegerla.

—¿Tenéis alguna sospecha de quién os ha acusado?

—Sí, son tres: Pedro, Juan y Diego, excompañeros de trabajo.

¡Qué seguridad tenía!, eso era un punto a favor. Ya habían sido interrogados los tres de forma independiente y habían caído en contradicción entre ellos mismos, lo que era como un revés para la acusación, de modo que podrían pasar a ser acusados por el fiscal. Estas declaraciones se habían presentado ante el notario y bajo juramento. Ese hecho había salvado a Alejandra de sufrir torturas para que se declarara culpable. Hasta ahora, siempre había sostenido su inocencia. Esta pregunta y la misma respuesta se repitió tres veces, para darla por cierta y para que el escribano tomara nota de los hechos.

—Le corresponde al fiscal hablar —señaló el nuncio. El fiscal comenzó su discurso:

—Decid que sois inocente, pero, oíd todos, sois acusada como las mujeres en iguales pecados contra la Santa Iglesia y estáis poseída por los demonios, en especial, por Asmodeo, poderoso maligno de la lujuria que os utiliza. Las mujeres como vos sois mujeres atractivas que seducís a los varones y, una vez que ellos caen en vuestros pecados, les atormentáis después. No os importa si son adolescentes o monjes. Os metéis en sus sueños y fantasías eróticas. Poseéis una belleza extraordinaria, una piel perfecta, cabello largo, oscuro, en resumen, una gran sensualidad y encandecéis a los hombres.

§

Lo cierto es que lo escuchado era muy interesante. Parecía que ella pudiera enamorar hasta el mismísimo diablo; y también que el fiscal estaba muy enamorado de ella. Por mi parte, me acordé de la Mujer Fantasma. Le tocaba al defensor o a los testigos de Alejandra. Entró en escena el veterano y honorable Diego de Jerez. Ahí iba. Yo crucé mis dedos. Jowal y Raúl estaban atónitos.

—Señor inquisidor general don Diego de Deza. En el nombre de la Santa Iglesia Católica, la Santa Sede, el Santo Padre, la Santa Inquisición y sus majestades, los reyes doña Isabel la Católica y don Fernando de Aragón, procederé. En primer lugar, voy a pedir juramento a la acusada y enseguida pasaré a interrogarla. Finalmente me dirigiré a todos vosotros para que, en definitiva, vuestra excelencia, monseñor Diego de Deza, proceda a dar su veredicto.

—Alejandra, ¿juráis decir la verdad, la verdad y nada más que la verdad, en el nombre de la Santa Sede, la Santa Inquisición y los reyes?

—Juro, señor don Diego de Jerez. —Fue algo muy acertado, lo llamó por su nombre, desconocemos cómo lo supo. Por otro lado, en la sala hubo murmullos.

—¿Os declaráis inocente o culpable?

—Inocente siempre —replicó la acusada con convicción. Se repitió dos veces más.

—¿Sospecháis quiénes os acusan?

—Sí, son Pedro, Juan y Diego, mis excompañeros de trabajo en la fábrica de alfarería.

—¿Sospecháis la razón de la acusación?

—Ellos intentaban cortejarme, y yo no les mostraba interés. Es por mi indiferencia hacia ellos.

—Me basta, señorías. Como podéis haber oído, la acusada ha jurado, es decir, cree en la Santa Iglesia Católica y ello, por los artículos del Canon de 1448 (aunque embrionario, es el futuro Codex Iuris Canonici) fundamenta de forma clara la aceptación de la Santa Iglesia Católica; luego la acusación de herejía queda fuera. Por otro lado, los cargos de bigamia han sido desvirtuados por la interrogación secreta efectuada a los acusadores y testigos, en consecuencia, tampoco ha lugar la acusación de sodomía y, por el mismo fundamento, debéis dejar fuera la acusación de atentado contra la moral. Ya no estamos señorías en la figura legal de la ordalía o Juicio de Dios. Las pruebas en su contra son contradictorias, insuficientes y vulgares. Ya ha dicho el Santo Padre, como jurisprudencia lo cito, que, desde hace mucho tiempo, según consta en los escribientes del tribunal del Santo Oficio, no se ha ido actuando con fe y celo a la palabra de Dios para la salvación de las almas. Se manejan las cosas por la avaricia, el pecado dominado por el demonio Mammón. Por esto pedimos, además, que se le devuelvan los bienes a la acusada, conforme se ha hecho de privarle de sus bienes por solo estar acusada, sin siquiera haber sido declarada culpable. Dos cosas más, honorable tribunal. A la acusada se la encierra e incomunica. Se le pide que se defienda y es ella, la acusada, quien debe *demostrar su inocencia;* lo que, de otra forma, debería ser una *presunción de inocencia,* es decir, que aquel que acusa a alguien es quien debe probar lo que dice. El derecho romano nos permite ir avanzando. Llegará algún día en que sea así. En este caso ha habido, aunque la ley lo permite, *dura lex, sed lex* (la ley es dura, pero es la ley). Se debe cambiar la ley. La acusada, en resumen, ha sabido quiénes la acusan y de qué la acusan. Ha sido privada de sus bienes y propiedades, que pedimos le sean devueltos. Ha estado encerrada e incomunicada aunque sus acusadores, consta en los escribientes y las actas de los notarios, se han contradicho. Pido para ellos una acusación por parte de la Santa Inquisición, a través del fiscal, por perjurio y falsas acusaciones, y que de inmediato les sean requisados todos sus bienes y pertenencias, conforme a la ley. He dicho su señoría.

§

Se acercó a su silla, y el nuncio pidió ponerse de pie, para que el inquisidor saliera un momento de la sala con el escribiente a fin de redactar el inciso. Todos nos sentamos, en completo silencio. Nos miramos con Alejandra. Ella parecía más tranquila. Diego de Jerez, al sentarse, me guiñó el ojo nuevamente. Me quedé más relajado. Al poco rato entraron el inquisidor y el escribiente. Le pasaron un pergamino al nuncio, quien lo cogió y procedió a leer:

Edicto

Sevilla, sábado XVII-X-MDIII.

Ante Dios, la Santa Sede, la Santa Inquisición y nuestros monarcas, Isabel la Católica y Fernando de Aragón, y ante vosotros que estáis aquí presentes y formáis el cuerpo testimonial; os declaramos que ante las acusaciones de que ha sido objeto Alejandra la Grande, y no habiendo encontrado pruebas suficientes para demostrar sólidamente su culpabilidad, se procederá a dejarla en libertad, se le devolverán todos sus bienes, y podría sí, quedar sujeta a futuros juicios, toda vez que las pruebas sean suficientes.

Se declara ante Dios el Altísimo

Firmado
Diego de Deza,
Inquisidor General de Sevilla.

§

Nos fuimos muy felices de la experiencia. Mi corazón latía más fuerte. Tenía una especie de taquicardia entendible. Les pedí a ambos que me dejaran solo en mi visita a la plaza Trafalgar y a la National Gallery, y también cuando debiera ir a los últimos exámenes médicos y a mi operación.

§

Visita a Trafalgar Square

La visita a Sevilla fue fructífera. Me levantó el espíritu y me dejó esperanzas. Deseaba estar solo en esta visita a Trafalgar Square y a la National Gallery, mi espíritu lo necesitaba. Asimismo, quería estar al ir a mis exámenes médicos el día antes de operarme. El día de la operación, mi hijo sería quien me acompañara. Mis amigos me entendieron perfectamente.

Cada día se veía menos gente en las calles y muchas más personas con mascarillas, no solamente japoneses, que han solido utilizarlas cuando están con gripe o alguna otra enfermedad respiratoria, y se las ponen para no contagiar al resto. Muy buena gente los japoneses. Cuanto más conocía a mis amigos, más los quería y cuanto menos pensaba en mi operación, más tranquilo estaba.

Me senté en una banca de la plaza Trafalgar. Siempre imponente. Sus cuatro leones gigantes, me recordaban a esos dos muchísimo más pequeños de la plaza de La Victoria de Valparaíso, a la que todos los niños (Raúl, yo y muchos) los padres nos llevaban a oír los domingos la orquesta de turno y a comer barquillos o churros madrileños. Esos días, antes de regresar a casa, debíamos sentarnos sobre los leones. Creo que a los únicos que he visto montarse a los gigantes de esta plaza, son pequeños muy ayudados por sus padres, y borrachos en las noches.

Esta plaza tiene un par de grandes piletas con peces y cascadas de agua, y un obelisco central muy alto en cuya cima se encuentra una estatua del almirante Horacio Nelson, un comandante de la flota británica (Royal Navy) que falleció heroicamente en la mencionada batalla naval contra los franceses y españoles aliados. El Reino Unido combatía junto a Austria, Rusia, Nápoles y Suecia. Se acabó, en ese combate naval, la supremacía de la marina española en el mundo. El almirante Nelson en Inglaterra es como Arturo Prat en Chile, nuestro héroe naval nacional, igualmente fallecido en combate en la campaña naval de la guerra del Pacífico (dicho por Chile, debido a que fue en el océano Pacífico) o guerra de Salitre (dicho por Perú); con mucho arrojo y valor, por ambos lados. El vencedor de ese combate naval, el capitán peruano Miguel Grau, escribió una carta a la viuda de Arturo Prat, doña Carmela Carvajal, haciéndole ver el valor, honor y amor a Chile que había tenido su esposo. Le dio las condolencias y se puso a su disposición... Ahí está Nelson, en lo alto, protegido por cuatro leones, cuyo metal se hizo con los cañones de los buques españoles y franceses, atrapados en la batalla. En Navidad, la ciudad de Oslo, Noruega, regala un enorme árbol, el más grande de Londres, que se adorna al estilo noruego y se instala en la plaza Trafalgar. Lo hacen desde el año 1947, en agradecimiento al apoyo inglés en la II Guerra Mundial. Esto es lo que regularmente explican a los turistas, los guías ahí reunidos.

Visita a National Gallery

Como una visita relajante, suelo ir a la National Gallery de Londres. Infaltable visitar las pinturas de Cézanne, Monet, Van Dyck, Van Gogh, Rubens, Miguel Ángel, Da Vinci y para mí, especialmente, John Constable y su *Carreta de heno*, cuya réplica tenía mi padre en su estudio, cuando ya comenzaba yo a ser periodista bajo sus alas. Me sentaba en una banca dispuesta, y miraba y admirada aquella pintura. Su gran tamaño (1,85 m de ancho y 1,30 de alto), y la precisión de la pincelada. Su oscuridad. Ese cielo con nubes revolucionadas; la carreta y los animales dentro del agua. Y, a su costado derecho, una casa campestre, símbolo de hogar. ¡Genial pintura!

Estaba extasiado, relajado. De pronto un chiquito de unos tres años sentado a mi izquierda le dice a su padre señalando la pintura *La carreta de heno* (The Hay Wain):

—Padre, mira esa pintura que está a tu espalda, la pintó este mismo. —El padre no dejó de ver su celular.

Me llamó la curiosidad. Antes de irme, leí el nombre del autor de la pintura de parecidas dimensiones que estaba a nuestra espalda; y efectivamente tenía un parecido, era del mismo autor, se llama *La catedral de Salisbury*, y mostraba el mismo estilo de pintar la naturaleza. Indudablemente ese pequeñín tenía una mirada pictórica más allá de lo normal. Esa miraba sabia, que me hacía falta ahora, para enfrentarme a mi realidad.

§

Jueves, 5 de marzo del 2020

Ya me había hecho un examen de investigación: *Test de sangre oculta en las heces* (TSOH) y dio positivo. Por lo tanto, debía someterme a un nuevo examen: una colonoscopia, esto es, introducir por el ano un colonoscopio, un aparato con luz y cámara, para viajar por el intestino grueso, extraer posibles *pólipos* (anormalidades de las paredes del colon, especie de bultos que sobresalen, aunque son benignos). Ver si hay tumores, y extraer una muestra (una biopsia) para determinar si es un tumor canceroso o no. Además, se marca el punto para que luego el cirujano, opere con laparoscopia por el ombligo: nueva puerta para el cirujano, menos invasiva. Este aparato es un artilugio con cámara, y válvulas para expulsar gas e inflar el lugar con unos *trocaros* o elementos a modo de bisturí, y para cauterizar finalmente.

Ese cinco de marzo me hice la colonoscopia. El resultado fue: "Un pólipo de 4 mm, removido, otro de 6 mm, también removido y un tumor de 4 cm, del que se obtuvo una muestra para su biopsia y para saber, en definitiva, si era positivo (cáncer) o no. Se dejó marcada la zona. Altos riesgos cardiovasculares e hipertensión arterial".

Sabía yo algunos datos estadísticos españoles ya que, siendo español, y habiéndome operado en Inglaterra, creo más pertinente referirme a las estadísticas españolas. (No sé si esto es serio o una simple humorada mía).

Me habían dicho que a partir de las biopsias, y por lo que se vio en este examen, cuyo informe completo tenía hasta imágenes para el cirujano, el 99 % de posibilidad era cáncer; además, al final se indicaba: "operación urgente". Estaba clarísimo: cáncer. Puede este tumor estar *encasillado*, esto es, que no han salido las células cancerígenas y no han invadido otros órganos, como el hígado, metástasis, como es llamado. Esas células pueden viajar por la sangre o el sistema linfático, e ir a cualquier parte del organismo. Un veneno viajante. Estuve ahí muy preocupado por mi hígado, ya que lo habían encontrado mal: *graso,* y no tenía más información, por lo que, dada mi forma de ser, hacía mil conjeturas (se acordarán de las tantas conjeturas que hice cuando la señora Lebensbaum). Soy optimista, pero con la información que poseía, pensaba en lo peor, pues siempre he sostenido que un *pesimista, es un optimista muy bien informado,* y agregaría, *desinformado,* como era ciertamente mi caso, ya que me faltaba el resultado de la biopsia.

Cuando me había hecho el escáner al hígado, algunos días antes, la doctora buscaba y buscaba con el aparato lubricado. Es como hacerle una ecografía a una mujer notoriamente embarazada, y no encontrar al bebé para conocerle el sexo. Pues a mí me parecía que la doctora, buscaba y buscaba *algo malo en mi hígado,* y no lo encontraba. Me preguntó:

—¿Ha estado amarillo?

—No, no he estado amarillo —le dije muy seguro y pregunté:

—¿Ocurre algo malo?

—Es que no encuentro su hígado —me contestó sorprendida.

—Capaz que no tenga o esté escondido detrás de mucha grasa —bromeé un poco preocupado.

—Puede ser —me respondió al tiempo que logró su objetivo, y fue poniendo cada vez caras de mayor preocupación. Insistía para cerciorarse de que lo que veía era cierto. Al parecer, lo tenía claro. Le pregunté preocupado:

—¿Ocurre algo?, ¿qué pasa con mi hígado?

—No puedo decirle nada a usted, se lo diré en el informe a su médico de cabecera.

Me fui y muy preocupado quedé.

El estudio de la colonoscopia concluyó: "operación urgente". De igual modo debía operarme para extraer el tumor, maligno o no. De la operación no me salvaba, ni por el coronavirus.

214

El informe de la biopsia del tumor podría ser de no cáncer, con un camino de chequeo al año, otra colonoscopia, y si esta resultaba negativa, repetirla a los tres años, y si salía negativa nuevamente, no hacer nada. Decía cuando me repetían esto: "¡ya estaré muerto!".

Ahora, si esta biopsia era positiva, o sea, cáncer, mi camino era más árido: quimioterapia, radioterapia, nuevas operaciones, y el telón de fondo de meses o máximo cinco años de vida, si la etapa era de un cáncer reciente.

Así estaba yo, con mi ánimo y mi estado de salud mal, pero demostrando fortaleza. Un Campbell lucha, no se rinde. Pero en mi fuero interno preguntaba a los dioses, ¿se me acaba la vida?, ¿por qué yo, si tengo tantas cosas que hacer? "Bueno —me respondía—, y por qué no". Soy un simple mortal. Pensaba en mi *siembra literaria*, que no se podría *cosechar*. Un mal juego del destino, sin duda. Ese Dios en el que antes había creído me mostraba su verdadero rostro: indiferencia. Estaba *ad-portas* de ir a hacerme los últimos análisis preoperatorios.

§

Martes, 17 de marzo del 2020
Exámenes previos a la operación

Como estaba programado, fui al hospital con mi hijo. Nos trasladamos caminando para evitar la locomoción colectiva por el coronavirus. El camino es muy agradable, como un kilómetro a orillas de canal de la Pequeña Venecia. Muy poca gente, algunos paseando a sus mascotas, otros andando en bicicleta y, por todos lados, el cantar alegre de los pajaritos. Me parecía una despedida de la vida. Calladamente miraba y admiraba la naturaleza, y pensé que a Dios se le había olvidado uno de los principales mandamientos; un mandamiento que representa, a mi nuevo modo de ver, a Él mismo. El mandamiento número once debió ser: "Amar y cuidar la naturaleza". Antes de entrar, mi hijo me invitó a beber un café. Lo hicimos.

Las preguntas de rigor: edad, nombre, medicinas que toma, antecedentes de salud familiares, operaciones que hubiera tenido, alergias posibles. Cansador, pero necesario. Muestras y muestras: de sangre (colesterol, triglicéridos, próstata, lípidos), infecciones en la nariz, la ingle, control de la presión, rayos X del tórax, la glicemia (glucosa A1C) y, finalmente, un electrocardiograma (EKG o ECG). Electrodos en el pecho, los tobillos y los brazos. Finalizado esto, mostraron el resultado a un cardiólogo presente, y me llevaron a otra sala a hacerme un ecocardiograma (ECHO). Ya me habían hecho un examen de calcio coronario en un aparato especial, un ultrasonido carotídeo, finalmente me hicieron un chequeo de esfuerzo, y de oxigenación: inhalar y exhalar profundamente. Me sentí algo mareado. Mi hijo se preocupó. Me acostaron en una camilla; al rato, repitieron el examen. Salió bastante regular, pero aceptable, me dijeron. Ya lo sabía del anterior chequeo de saturación u oxigenación que me habían hecho el jueves 12 de marzo, cuando me reuní con Raúl. Me ponían en una pantalla del computador una tarta con sesenta y ocho velas, una por cada año de vida. Enseguida me pasaron un aparato para mi boca. Debía apagar todas las velas. Una vela dejé sin apagar (y no era cosa de quitarse la edad en ese momento). Extrañada estaba la enfermera jefa de que al día siguiente me operaran. "Normalmente se toman estos exámenes un día y a la semana siguiente se hace la operación", me dijo. "Es muy raro", pensé también. Me dieron un líquido a beber esa noche, a las 18:00 y a las 04:00, para fortalecerme, ya que no podía comer en absoluto, y una hora antes de irme al hospital solo podía beber algo de agua. Nada de tomar medicamentos, "ni comerse las uñas", bromeó la enfermera, como para bajarle un poco el perfil a la tensa situación, e intentar, en vano, que sonriera un poco. Nos fuimos a casa. Otro café en el mismo lugar. Un saludo a los pajaritos que cantaban. Me inspiraron, mientras me cantaban.

§

Abrigo y amor

Viajando tú por los cielos
Volaste como un ruiseñor,
Andabas en busca de abrigo,
Andabas en busca de amor.

Seguías tu viaje de ave
Mirando a tu alrededor:
Tus compañeras de vuelo
También buscaban amor.

217

Continuabas siempre buscando;
Con menos ansias y pasión;
Avecilla en tu vuelo,
Sin abrigo ni amor.

Ya sin alma a tu lado,
Ni un ave a tu alrededor;
Viajabas en solitario,
Buscando abrigo y amor.

Atrás quedaban las nubes,
Las esperanzas, la ilusión;
Continuabas volando en lo alto,
Sin abrigo ni amor.

Un día tus fuerzas flaqueaban,
Y cuando casi decías adiós;
En medio del vuelo, tus ojos,
Pudieron ver al gran Dios.

Eras feliz en el cielo,
Y sin aves en derredor;
Tus compañeras de vuelo,
Se perdieron al Señor.

Ya no tuviste más miedos,
Solo abrigo y amor.

§

Miércoles 18 de marzo del 2020. 07:11 horas
Operación

07:11. Yendo al hospital Santa María. Al entrar saludé a una estatua que había en el portalón de entrada. Me resultó como una obligación en la esperanza de que me fuera bien. Le guiñé un ojo como acostumbraba hacerlo con mi amigo secreto, el gnomo Jowal. Me quedé perplejo, ya que no me devolvió el saludo.

07:50. Ya en el interior del hospital, en los protocolos de rigor. El segundo doctor, un griego llamado Papadopulos, mal afeitado, con todo lo que recomiendan afeitarse por lo de la Covid-19. Su aliento era pésimo, repugnante. Por lo demás, cordial y muy amable. Le firmé todos los papeles que me presentó acerca del procedimiento: autorizaciones de operación, eximir de responsabilidad al hospital en caso de agravamiento y muerte, que soy conocedor de todos los riesgos que la operación podría conllevar *a posteriori* (enfermedad a los nervios femorales y otros).

Le llegó el turno a una enfermera muy bella. Debía extraerme sangre para su análisis final. Era sueca y se llamaba Karolina. En aquella habitación estábamos solamente los dos. Un par de sillas, una camilla y una mesa con un computador. No obstante, aquella delgada figura juvenil se sentó en el suelo y comenzó a tantear mis venas, y toda vez que tomó la decisión de dónde, *la vena anastomótica* del codo derecho, comenzó a atarme el brazo con un elástico. Yo había insistido dos veces en que se sentara en la silla desocupada, para de este modo yo poder poner mi brazo extendido sobre el escritorio. No quiso. Imaginaba los microbios danzando de felicidad, entrando y saliendo de la bandejilla con las agujas, frascos para la sangre, gasas, algodones y demás que estaban en el suelo. Finalizó y se fue. Olía a lavanda, un cabello rubio que bailaba sobre sus hombros cuando salió en una actitud de despedida. Me quedé sentado como me indicó. Habría una media hora de espera. Me dispuse a hacer sudokus en mi móvil. Aún permanecía vestido *de calle*, no con el *tuxedo* para la camilla de operación. El cirujano primero, Dr. Zeprin me vino a saludar y a informarme que tenía una reunión de última hora, muy urgente, aunque me señaló que nada tenía que ver con mi operación. Lo encontré algo nervioso, eso me preocupó. Se veía mal afeitado, no como el día anterior cuando hube de ir al hospital para los exámenes previos. El médico me adelantó la cirugía una semana; ¿debido a? Había comenzado con mis eternas conjeturas. Mi hijo me tranquilizó diciéndome que seguramente por la ola de infectados que llegaría con coronavirus. Cosa que me confirmó luego el médico. Solamente se hacían las operaciones urgentes. Aquella reunión de mi cirujano comenzaría a las 08:45, y él no estaría desocupado hasta las 09:00. Me pareció muy extraño. Se veía muy alterado, como buscando o esperando algo o a alguien. Disimulaba su sentir para no afectarme. Pero yo soy buen sicólogo.

Me indicaron que me llevarían a una sala contigua: *entrada al teatro*. Debí cambiarme de ropa, dejar la mía en mi mochila. Pedí dos camisones para ponerme uno por delante y otro por detrás y, de este modo, no mostrar el culo por el pasillo (poto feo y plano). Ya me habían hecho bromas al respecto, e, igual en broma, respondía: "pero por delante, tengo bastante de lo que hay que tener". Me sentía muy nervioso, pero lo disimulaba; por lo menos eso me pareció.

Toda vez en esa sala contigua al *teatro*, con otro enfermero, filipino, al que le pregunté por qué se le llama *teatro*. Con las maquinarias me hizo los últimos chequeos de presión arterial, pulso, oxigenación, y me contó que antiguamente donde se operaba era un *teatro*, con asientos en la parte superior, al estilo romano: *Teatro de operaciones*. Las operaciones se hacían así para que los futuros médicos pudieran aprender. Yo conocía esa sala como *quirófano* o *sala de operaciones*. *Teatro* era nuevo para mí. "El teatro de la vida", me dije. Este enfermero me hizo sentarme con la cabeza apoyada sobre una almohada que puso en mi regazo. Pero antes me conectó con aparatos a una máquina, y me insistió en que no dejara de verla.

—¿Por qué? —le pregunte intrigado.

—Vendrá el anestesista y es preferible; como todos se ponen muy nerviosos con lo que les hacen, es mejor que no mires —barbulló.

—Soy diferente a toda la gente —respondí fardando, no lo voy a negar.

En realidad, hasta cuando me visite *la muerte*, deseo verla con mis ojos abiertos. Ver la muerte es despedirse de la vida. Frente a frente, para decirle, como Amado Nervo:

Vida, nada me debes.

Vida, estamos en paz.

—¡No me pongo nervioso! —le aseguré. Pero de igual modo miré los parámetros de mi chequeo: presión arterial sistólica (contracción del corazón), 120; presión diastólica (dilatación del corazón), 90. Pulsaciones por minuto, 87. Oxigenación, 94.

—Están los números muy bien —me tranquilizó, y agregó—. La presión diferencial (diferencia entre diastólica y sistólica), está bien, considerando además que no has tomado tu medicina ni anoche ni esta mañana: enalapril 20 mg. La oxigenación prácticamente en su mejor nivel. Pulsaciones por minuto, 85. Como un joven.

—¡LO SOY! —le dije fuertemente bromeando.

—¡Esa es la correcta actitud! —me señaló complacido y sonriendo.

Fue un momento estelar: entró un médico canturreando, en compañía de una dama muy pizpereta. Venían del *teatro* (o *pabellón*, si prefieren).

—Soy su médico anestesista, ella es mi colaboradora —me dijo doctamente y me puso una mascarilla para respirar oxígeno. Comenzaron a actuar sobre mi columna vertebral. Anestesia raquídea y epidural. Sentí cada pinchazo en mi columna, que me hacía gemir. Pero el enfermero filipino, no aflojaba.

Quien llevaba la batuta del procedimiento era el anestesista. "No, por aquí no", "mira toca, por acá", "debes sentir esto y sobre ese lugar aplicar". Lo tenía claro, ella se estaba especializando en anestesista y precisaba ejercitarse. Y la víctima era yo. Estaba acordándome de cuando en Palma de Mallorca, me operé de un varicocele, y un médico me puso similar raquídea. Fue muy rápido y no sentí absolutamente nada. ¡España, España! Lo mejor, ¡Olé!

Había estado observando, cual chafardero, el interior del *teatro*, cuando abrieron la puerta desde allí y vinieron el anestesista y su colaboradora. Estaban junto al cirujano, otro médico, más dos enfermeras; todos ellos con gorra, mascarillas, guantes y listos para la operación. Me dio mala espina que estuviera mi médico allí y no me hubiera saludado, como hacen los médicos españoles, que dan confianza.

Toda vez pasado aquello, el médico me pidió que me acostara, levantó algo mi cabeza, me puso un catéter en mi mano izquierda, y aplicó una anestesia a la vena. Luego procedió a poner una máscara sobre mi boca.

—Respire profundamente —me indicó.

§

Salí de aquella anestesia, pensaba que aún faltaba comenzar la cirugía.

—¿Cuándo comenzará todo? —le pregunté al enfermero filipino que estaba a mi cuidado.

—Todo ha terminado, ya está listo para irse a una sala de *cuidados intensivos* —respondió orgulloso.

Sí, de la operación había despertado muy campante en la sala contigua, *salida al teatro*.

—¿Cómo ha ido la operación?, ¿cuánto ha durado? —insistí algo aliviado, a aquel enfermero de dulce mirada asiática.

—La operación duró tres horas y todo ha salido muy bien —me contestó, luego de hacerme nuevamente los chequeos protocolares, agregando esta vez un electrocardiograma.

Llamó al personal de traslado para que me llevaran al 8.º Piso, habitación Saint Charles.

Fueron tres horas perdidas, literalmente, en mi vida, tiempo que confirmé por los relojes de pared de cada sala: "entrada al teatro" y "salida del teatro". Tres horas muerto. Pero eso no lo puedo contar, deberé decirle a mi amigo, el gnomo, que lo cuente, así también yo me entero. El gnomo Jowal sabrá, a buen seguro. Aunque ya sé que los gnomos no dan este tipo de información a las personas bajo su cuidado. Quien sabrá también es el *narrador en tercera persona,* pero no deseo molestarlo, ya me entenderán. Si él lo desea, pasa inadvertido; también podemos hablar telepáticamente, igual que los inventos de altavoces modernos o de generaciones venideras, como en la nao Catamarán Magnético, proyecto tecnológico aún sin probar. Me puse a divagar. La gran pregunta: ¿la máquina podrá reemplazar al hombre? Creo que sí. Podrá la máquina pensar, tener inteligencia artificial, creo que sí. Ya se hace el *test de Turing* que prueba la capacidad de inteligencia de la máquina. Habrá en un futuro máquinas buenas y máquinas malas, como hay seres humanos malos y buenos. Lejos estamos ya de la máquina *Enigma,* ese artilugio usado por los alemanes en la Segunda Guerra Mundial para descifrar mensajes. Ya Julio César tenía las criptografías. Recordé las preguntas que le hice a mi padre cuando era yo un chavalín:

—¿Cuánto se puede uno alejar de la tierra?

—Hasta el infinito —me dijo. Insistí:

—¿Hasta cuánto puede uno acercarse a algo sin tocarlo?, ¿la mitad de la mitad, luego la mitad de la mitad, y así? — Nada sabía yo entonces de *límites.*

—Hasta el infinito —me dijo.

—¿Y qué es el infinito? —quise saber, angustiado.

—Un ocho acostado. —Había descubierto que el infinito era algo así como muy, muy grande, y muy, muy pequeño. Con gran poder. Como este famoso Covid-19. Me había concentrado tanto en mis pensares que, ni me percataba del gran movimiento del hospital con camillas, enfermos, enfermeros, mascarillas y demás.

Procedieron los camilleros a pasearme por los corredores, ascensores y vericuetos de ese gran hospital, lleno de líneas de colores, que indican a los pacientes, el camino a seguir para llegar al punto requerido: oncología, rayos X, transeúntes, hepatología y demás. Yo no tenía problemas, mi chofer me llevaba en la camilla; ninguna luz roja ni policía nos detuvo. Al parecer era yo un rompe filas. El GPS mental del transportista, mi camillero, era estupendo.

§

Me agobiaba, ciertamente, que cada enfermero, enfermera, médico o persona que me abordaba para cualquier cosa, como un interrogatorio sin saber las respuestas, me preguntara, teniendo todo en el sistema de salud: nombres, fecha de nacimiento, dirección, edad, peso, estatura, alergias, operaciones y fechas aproximadas de realización, medicamentos que tomo y desde cuándo, antecedentes familiares, enfermedades, causa de muertes de los padres: una y otra vez. Ya me estaba cansando aquello.

—¡*Perdón!* —me respondían—, pero debo hacer las mismas preguntas, es el procedimiento!

Ya me fui acostumbrando a aquello, pero lo que me confundió notablemente, fueron los colores o los códigos de los uniformes del personal. Había personas que sacaban el aseo en los carros, con color verde (verde = ecuanimidad), pero también le vi este color a las auxiliares de enfermería, e incluso a médicos antes de entrar al *teatro*. De azul (azul = serenidad), enfermeras. Morado (morado = serenidad profunda), enfermeras jefas. Blanco (blanco = pureza), pues... solamente lo usaban los médicos cuando visitaban cada mañana y cada tarde a los pacientes. Los tiempos han cambiado, querrían evitar en los enfermos ese *síndrome de la bata blanca*, que causa que les bajen las defensas sicológicamente.

Me sentía bastante orgulloso, a pesar de la desazón de encontrarme en una encrucijada de salud, en una puesta a prueba sobre mí mismo y mi valor ante la adversidad, como siempre había pregonado y ahora debía practicarlo.

El Saint Mary's Hospital-Imperial College Healthcare es un hospital público vinculado a la Universidad de Londres, y construido en 1851 por el arquitecto Thomas Hopper. Nació allí, por ejemplo, el futuro rey de Inglaterra, hijo de Carlos y Diana. Aquí también el escocés Alexander Fleming descubrió en 1928 la penicilina, lo que ha permitido salvar muchas vidas y le hizo a su descubridor merecedor del Nobel en 1945. Y aquí sería operado yo. No me importaba entender profundamente la jerarquía de los uniformes del personal. Y me da la impresión de que ni el personal mismo lo tiene claro. Lo que sí me quedó muy transparente fue que las mujeres que vestían uniforme color morado eran las jefas. Daban las últimas instrucciones al personal, ya que casi toda la planta, al día siguiente sería ocupada por pacientes afectados con la Covid-19. Ellas, también vestidas con ese *color de muertos*. Sabido es que ese color, lo utilizan los curas durante la Cuaresma (la preparación de Pascua de Resurrección, que comienza con el Miércoles de Ceniza y finaliza el Jueves Santo), el Adviento (cuatro domingos anteriores a Navidad) y los días penitenciales y de difuntos. También el hospital tiene curas, pastores y capillas para pedirle a Dios que a uno le vaya bien (desconfiaba de todo). Y si le fue mal, pues que la familia ore por uno y por el buen recibimiento en los cielos, así, en plural, por si hay más que uno.

Llegamos. Cada habitación era para seis camas. Me conectaron suero en el catéter que tenía *ad hoc* en mi mano izquierda, donde también me pusieron un remedio líquido calmante del dolor.

Control de azúcar: 5,6, lo que en Chile y España sería 100, o sea, no diabetes. Presión normal, pulso normal, todo bajo control. Mis hijos se habían ido a sus casas y deberes. Los llamé.

Vinieron a visitarme un momento.

Miércoles, 18 de marzo de 2020. 17:28 horas

Las horas de visita establecidas: de 16:00 a 20:00. Mi hija mayor no podía venir a verme por su responsabilidad con los nietos. Lo preferí.

En la sala contigua, todos usaban mascarillas, delantales, guantes; había allí contagiados con la Covid-19.

Me visitó Ángela, una enfermera española que tenía turno. ¡Menos mal!, mi idioma.

Me examiné yo mismo, un poco nervioso por saber con qué me iba a encontrar: tenía parches en la espalda, donde me pusieron la raquídea. Tres parches en la barriga, uno de ellos en el ombligo, por la cirugía de laparoscopia a la que fui sometido. Pensaba en mi operación de hernia umbilical cuando bebé. Que no fue ni más ni menos que el cordón umbilical, por donde mi madre me alimentaba, no cerró, y por el ombligo salió parte del intestino. Si uno no se cuida, se puede enfermar de onfalitis, y salir líquido, sangre, pus; y la hemos liado, antibióticos y demás. Otra situación novedosa fue constatar que tenía un tubo plástico dentro del pene, por la uretra y hasta la vejiga urinaria; el otro extremo de ese tubo llegaba hasta un recipiente de plástico transparente que verificaba la cantidad y calidad de la orina. Si el color era adecuado, si no tenía sangre, etc. Al tocarme, me preocupé. El prepucio estaba recogido. Con un poco de saliva, me lubriqué y cubrí el glande. Sentí un poco de alivio, y algo de excitación, y tuve un dejo de erección. "¡Menos mal!", me dije. Temía que pudiera ese ser el camino ante una no erección. Un tubo que se mete dentro del pene, pero no. ¡Locura!, y eventualmente tendrían que sacármelo. No podía entender a los circuncidados; pensaba en mi amigo Raúl, judío; la poca sensibilidad que tendrá, ya que el glande, al estar desde bebé expuesto a todo tocamiento: ropa interior, sábanas... se torna, quiera uno o no, menos sensible, más *piel de chancho,* como dicen.

Entonces por este artilugio, al mear, ni me enteraba. De cuando en cuando venían a mirar y vaciar la bolsa, que permanecía sujeta en la parte inferior de la cama. Me hubiera gustado tener ahí a una mujer, que bien podría haberse llamado Ale, y poder decirle que me había dicho el médico que mi recuperación sería más rápida con una *mamada*, perdón, *felatio* (¿mejor así?).

Jueves, 19 de marzo de 2020. 17:48 horas

Control de azúcar, bien. Mis tres hijos me visitaron un par de minutos. Las noticias de la pandemia estaban fatales en todo el mundo, en general; China, España, Italia, Chile, Perú, Ecuador, Argentina, y en Londres, en particular. Muchos contagiados y centenares de muertos.

Procedieron a cambiarme de habitación a fin de ir preparando la sala para un nuevo contingente de contagiados con la Covid-19. Adiós al vecino escocés de la cama 2, muy amistoso. Ya le habían puesto dos bolsas de transfusiones de sangre. Bromeé con los que me llevaban y con una enfermera: "¡Eso ocurre por no pagar la cuenta de electricidad!". Rieron de buena gana. Nueva habitación: 8.º Piso, Sala Zachary Cope Ward. Entrando del pasillo a la sala, se sentía calor. Me tocó junto a una ventana. Tenían la ventana abierta. Les pedí tres veces que la cerraran. Me acordé de mi padre a la misma edad mía. Fue operado en Chile, lo llevaron a una sala de posoperados, le dejaron la ventana abierta toda la noche, amaneció afónico. Le pregunté a mi padre: "¿qué ha ocurrido?", por señas, ya que no me dejaban ingresar a la habitación. Me respondió como pudo: "Una chatera me dejó la ventana abierta". Tres días después, murió de neumonía. Como todas las ventanas estaban abiertas, pregunté a Kelele, una enfermera de Somalia:

—¿Por qué tienen las ventanas abiertas?

—La gente desea que las deje abiertas, hace calor ¿no tiene usted calor? —mentirosamente me preguntó. Lo cierto era que la recepción de esa planta estaba al frente, y en esa zona la calefacción se mantenía muy alta . Las enfermeras estaban acaloradas. En verdad, con mucho agobio laboral. Finalmente tranzamos que cerraran la ventana contigua a mi cama y las cortinas azules, de este modo parecía una habitación privada.

Jueves, 19 de marzo de 2020. 21:17 horas

Pedí una manta extra, y saqué el albornoz (o *bata*, si prefieren) de mi mochila. Las enfermeras son chivatas. Todo se lo cuentan a los médicos, hasta por teléfono: este paciente tuvo diarrea, este otro vomitó. Aquel tiene taquicardia o temperatura alta. Bueno, es su trabajo.

De madrugada se me acercó una enfermera a mirar el suero. Yo dormía con un ojo y con el otro vigilaba. Recordé cuando en Palma de Mallorca me operaron de varicocele. Estando en la sala del posoperatorio, en la penumbra de la noche, con la tenue luz del pasillo, se me acercó una bellísima enfermera de cabello rubio y crespo, para tomarme la temperatura debajo del brazo sin que yo despertara. Fue muy cuidadosa, pero como yo siempre estoy vigilante, abrí los ojos, la miré con ternura y le pregunté:

—¿Estoy en el cielo?

—No —me aclaró y continuó—: estás en la sala de posoperados, recuperándote.

—No, estoy en el cielo —insistí.

—Que no, que estás en la sala de posoperados. Estás vivo —ratificó tiernamente.

—No, estoy en el cielo, estoy viendo a un ángel —precisé. Ella sonrió. A partir de ahí, fuimos buenos amigos, en la relación paciente-enfermera.

Mojé un poco mis labios, no podía beber, estaba con suero. Deseaba beber agua, agua, agua, ¡por favor! Imaginaba cómo se sentían los sedientos en los desiertos.

Viernes, 20 de marzo. 15:00 horas

Había pedido agua para mojar mis labios, siempre con mucha sed. Soñaba con una jarra llena con unas torrejas de limón dentro. ¡Cómo se cambian los gustos! Ese día me hicieron otro electrocardiograma.

Viernes, 20 de marzo de 2020. 21:06 horas

Descansé un rato, mientras en duermevela captaba la cotidianidad de una sala de recién operados. Había mucho alboroto de gente: personal de todos los colores. Enfermeras con trajes morados, muy blancas y rubias, instruían a otras y otros sobre los protocolos. Ángela me confesó que al día siguiente llegaría un gran contingente, más del que tenían en esos momentos, de gente contagiada con Covid-19. Le dije a mis hijos, que no los quería por ahí, pues era muy peligroso. Que el único modo de verlos sería cuando me dieran de alta y mi hijo me fuera a buscar. Comencé a vagar y divagar, entre la vida y la muerte. Entre la buena y la mala suerte. Y mis pensamientos me llevaron a recordar la adaptación para el teatro de la novela Los miserables, del francés Victor Hugo, que se continúa exhibiendo desde hace mucho tiempo en Londres. Esa lucha entre el bien y el mal. Esa lucha eterna de la humanidad. Me encantó esa obra de dos actos.

Mi preocupación era por la pandemia: viejo, con enfermedades crónicas, operado de cáncer, es decir, candidato número uno para el contagio y muerte. "¡Es lo que hay!", me conformé. Minuto a minuto, aumentaban las malas noticias de contagiados y muertos en todo el mundo.

Toqué el timbre para pedir agua y mojar un poco mis labios. El personal sanitario estaba trabajando a tope, me supo mal, pero hube de hacerlo. Los otros enfermos llamaban y llamaban por cualquier cosa. Aunque con esposas, hijos y familiares todo el día. Nada de horario de visitas. Creo que el mismo hospital se saltó esa regla para aliviar en alguna medida el trabajo del personal. Debía aprovechar, cuando me trajeran agua, para decirles que revisaran la bolsa con orina por si debían vaciarla, también para pedirles que pusieran mi celular a cargar. Me entretenía mucho analizando las vidas de los escritores: Roberto Bolaño, de quien algo había hecho literariamente, Mario Benedetti, José Luis Borges, Julio Cortázar, Pablo Neruda (Ricardo Eliécer Neftalí Reyes

Basoalto). Muy amigo soy del abogado sobrino suyo, Rodolfo *Reyes* Muñoz, quien tiene la cuna y el colchón que usaba Neruda de bebé, además de borradores de poemas en papeles sueltos, inéditos, conforme me dijeron. Antonio Gala, formidable con su libro *Pasión turca* (que también alimentó mi deseo de conocer Estambul, cosa que comenté en "Un albatros de Valparaíso en Estambul", junto a las comedias turcas transmitidas por televisión en Chile como *Ezel*), también formidable con su reciente libro *Quintaesencia,* una selección de sus pensamientos sobre la vida, la muerte, el amor, la alegría, el sexo, entre otros tópicos. Fernando Sánchez Dragó, un Dorian Grey, impecable a su edad. Octavio Paz, Carlos Fuentes, Gabriel García Márquez, Miguel Delibes, y el uruguayo mágico, Eduardo Galeano. Sí, necesitaba cargar mi móvil. Con mi audífono, a nadie molestaría. Y mis horas muertas, las aprovecharía.

§

Estaba agotado de vigilar lo que pasaba a mi alrededor: el enfermo de la cama de al lado se quejaba enormemente. Había sido operado de la tibia izquierda. "¡Oh dios!, te amo"!, decía, y *guturaba* unos sonidos en árabe. Ello hizo que me acordara de aquellos musulmanes que se molestaron con nuestro saludo con Raúl: *puño-palma-puño.* Me pareció que ya estaba al borde de la tolerancia. No podían ponerle más morfina. Escuché que la enfermera le dijo: "Si te aplicamos más morfina, te puede venir una crisis al sistema nervioso central y darte un ataque cardíaco". Debía soportar ese dolor. Lo extraño era que si en esos momentos de quejidos recibía una llamada a su celular, respondía feliz, sin ninguna señal de haber estado literalmente aullando antes de responder. No me parecían palabras de blasfemia, sino más bien de súplica a su dios para que le aliviara el sufrimiento. Mis dolores eran, pensaba, insignificantes comparados con los suyos. Durante las noches, los enfermos peleaban entre sí: "¡Cállate! ¡retutatutata!", se insultaban. "No dejas dormir". Se aguantaba un poco sus quejidos. Yo me sentía afortunado. Aunque me parece que tengo el nivel o umbral de tolerancia al dolor, muy elevado. Me pareció extraño, ya que sé que los dolores espirituales, los tolero muy bien; pero el físico, debo confesar que comprobarlo me hizo sentirme cordial conmigo. Mi capacidad de resiliencia estaba probada. Por ello me gané la fama del *mejor paciente de la planta*, cuando una mañana el enfermero de turno se presentó y me lo dijo.

Sábado, 21 de marzo de 2020. 17:00 horas

Ya me habían dado a comer alimentos suaves. El atril del suero, se lo llevaron; lo necesitaban para los recién llegados. Podría finalmente beber una jarra de agua con torrejas de limón.

Había estado alimentándome así un par de días, cuando, repentinamente sentí fuertes deseos de vomitar, creo que provocados por una enfermera que me hacía la cama. Tenía un nauseabundo olor a causeo: cebolla y ajo, muy fuerte. Dejó hediondo mi "recinto particular" de paredes de cortinas

234

azules. En principio imaginé (fue un mal pensar de mi parte) que aquel mal olor provenía de la calle, y que entraba por la ventana abierta. Podría ser algún restaurante, aunque no recordaba haber visto alguno, ya que toda la cuadra era hospital. Mi conjetura me decía que podía ser la cafetería del mismo hospital. Nada, el olor desapareció cuando mi cama ya estaba estirada y la *nurse* se había retirado. Al rato regresó la misma enfermera trayéndome una jarra de agua fresca. También trajo nuevamente el mal olor. Me dio mucho asco y deseos de vomitar. Lo que podía costarme caro: que me pusieran un tubo desde la nariz al estómago. Fui solo, lo más pronto que pude, hacia el baño. Estaba ocupado. Me señaló una enfermera que fuera a la vuelta del corredor, que allí había otro baño de hombres. Le *señalé* con *señas* (nunca mejor dicho) que era imposible. "Vaya al de mujeres", me instó con premura. Lo hice. Vomité hasta la pared. Limpié lo mejor que pude, por mi operación, ya que caminaba doblado. Se acercó una limpiadora con un carro, elementos de limpieza, guantes, desinfectantes y procedió. Me disculpé, pero me dijo que no me preocupara. Fueron con el cuento al médico y este indicó que me pusieran un tubo desde la nariz hasta el estómago, y retrocedí al suero. No me agradó la idea. Las enfermeras, como dije, eran chivatas. Bueno, es su trabajo.

Vino el enfermero jefe e intentó poner el tubo un par de veces, yo con dolores y arcadas. Dos veces, sí, dos veces salió el tubo por la boca, mi epiglotis se quejaba y hacia arcadas profundas. ¡Terribles momentos!, lo peor lejos. Llamó a dos guapas enfermeras. Parecían una *yunta de bueyes,* con perdón, pero me refiero a que venían juntas. Una de ellas procedía mientras la otra, cómplice, me tomaba la mano y me hacía cariño. Yo, falto de mimos, me dejé llevar y en un santiamén, estaba finalizado el problema: un extremo del tubo en mi estómago, y el otro dentro de una bolsa plástica con mediciones, sobre mi pecho.

Fueron dos días complicados. Tragar la saliva, ya me costaba, y dolía la garganta. Comencé con una tos seca. Se preocuparon por lo de la Covid-19. Los tranquilicé y les expliqué la razón. Ya me imaginaba que me trasladaban ahora a la habitación vecina, con enfermos de coronavirus.

El segundo día me quitaron el suero. Y debí comer suave y tomar las medicinas tragando con esa incomodidad. Lo único que no varió fue la inyección subcutánea en la mañana y en la noche, para evitar coágulos sanguíneos, producto de la inmovilidad y del hecho de permanecer mucho tiempo en cama. Esta medicina hacía mi sangre más líquida, al punto que cuando me pinchaban para analizar el azúcar, salía la sangre muy diluida. Finalmente, las mismas dos chicas me sacaron el tubo sin problemas. Esta vez no me tomaron la mano.

Domingo, 22 de marzo de 2020. 17:00 horas

Estaba agotado, casi por flaquear y dormir. Desperté en las horas de visita y mi prima, Molly Campbell, había venido a saludarme. Siempre ha sido muy amable y cristiana. Hermosa, elegante, radiante, encantadora como su bella madre. Me dijo: "Confía en Dios, Él nunca te fallará. No te abandonará" y de regalo me trajo un cuadrito pequeño, con el escudo he-ráldico de nuestra familia Campbell: "Ne Obliviscaris". Lo dejó sobre la mesa movible. Me incorporé un poco con la ayuda del botón automático. Estaba en ello, cuando se acer-có Kelele, la enfermera: una mujer negra, muy simpática, de lentes, gruesa voz de mando, sonriente y siempre cantando canciones cristianas en somalí, el idioma de Mogadiscio, la capital de Somalia, su tierra natal. Siempre estaba mirando hacia el suelo, como despreocupada de su entorno. Pienso que era su forma de enfrentar y evadirse del duro trabajo, incrementado por la Covid-19.

Era la hora de mis remedios. Molly apareció entre las cortinas azules que daban la apariencia de una habitación privada, rápida, disimuladamente. La *nurse* traía un vasito plástico pequeño con algunos medicamentos; el resto debía sacarlos del cajón de la mesita de noche con la llave maestra que portan las enfermeras. Observé la maniobra, que fina-lizó pronto. Mi prima Molly ya se había perdido entre las cortinas. Por prudencia, suponía. Pero no regresaba, y aún era hora de visitas. ¿Qué raro? Además, ella estaba en Chile, hasta donde yo sabía. No había vuelos entre los países, (yo y mis conjeturas). Pregunté a Kelele si se había fijado en quien estaba conmigo. No se había dado cuenta, como suponía. Le di las señas para que preguntara a sus colegas, no hubo caso: ella no había visto a persona alguna, ni sus colegas. No quise insistir para que no me creyeran loco (aunque debo serlo un poco).

Decidí ponerme los audífonos y llamar a mi hermana en Chile. Le pregunté por nuestra prima Molly.

—Te tengo malas noticias —me señaló y agregó—, ella se operó hoy de cáncer al hígado. La tienen en este momento en coma inducido para que su cuerpo se defienda mejor.

No quise seguir hablando. Le contesté que me venían a dar la medicación. Ya nos comunicaríamos, fue en lo que quedamos. Supuse entonces, que el *coma inducido* permite a las personas viajar en espíritu. Interesante.

Me quedé pensando en Molly. Cuando éramos unos pequeñajos, ella un par de años mayor que yo, de Santiago iba en época estival a la costa, a nuestra casa. Me acordé también lo que mi amigo secreto, el gnomo Jowal, me había revelado: que yo tenía esa dimensión oculta, la *cuarta dimensión*. Como le había dicho que me dejara solo, no podía preguntarle, me parece.

De todas formas, el mensaje de Molly quedó revoloteando en mi mente: "Confía en Dios, Él nunca te fallará. No te abandonará". ¿Habría venido en espíritu a darme ese mensaje, por el beneplácito del coma inducido?, ¿sería acaso que deseaba dejarme ver entre líneas otra cosa? Me estaba ocurriendo lo de siempre, haciendo conjeturas como con las de la señora Lebensbaum en el hotel, antes de conocerla.

Cuando llegaba mi prima a casa en Valparaíso, era fiesta y alegría. Me cogía de la mano, paseábamos por la orilla del mar, por los parques, reíamos, bromeábamos. Me sentía muy enamorado de ella. Representaba todo a mi corta edad. Me había apodado George Maharis, el actor de la década de los 60 de Estados Unidos; quien aún vive a sus noventa y un años. Yo, entonces, a mis quince años, aún no había besado a una chica y deseaba que mi prima lo hiciera por primera vez.

Le hacía poemas, que, en algún rincón de su departamento, me aseguró, conservaba. Esta visita que había recibido como un fenómeno onírico es el lugar privilegiado donde habitan los sueños. Es la realidad que alberga lo que, en vigilia o duermevela, no nos atrevemos a darle cabida. Mi visita emocional, de sentimiento, de Molly, me dejó emocionalmente en ese punto de inflexión espiritual de creencia y de fe.

Domingo, 22 de marzo de 2020. 23:00 horas

Todo el día había estado muy ajetreado. A un enfermo mayor de enfrente, lo llevaron a curarle un pie con una cirugía, para evitar una gangrena y tener que cortárselo. Su esposa, mucho más joven, debía autorizar: firmar para que se procediera a la operación, y dejar constancia de conocer los riesgos, para no culpar, si algo salía mal, al hospital o al médico. Muerte o tener que amputarle el pie, serían las malas noticias. Afortunadamente salió todo bien.

Sueño con mi madre

Durante toda mi vida, he tenido sueños largos, que al despertar puedo contar, escribir. Eran sueños en colores o en blanco y negro. Pero desde que me pusieron esta anestesia, y perdí tres horas de mi vida (mi anterior operación en España no interesa, ya que era joven y tenía todo el tiempo del mundo por delante; lo creía, y tan solo siento que fue ayer) en esta operación de cáncer, esas tres horas perdidas, me duelen. Tras operarme, ya no había ni noche ni día. El ritmo era totalmente distinto: medicinas, chequeo, dormir, despertar, suero o alimentación. Lo más importante, sueños cortos. Muy cortos. Uno de los que tuve hoy me preocupó enormemente. Lo contaré.

Primero tengo que mostrarles, que no contarles, vean. El lugar era el gran vestíbulo de mosaico de la casa de mi abuelo, el padre de mi madre. De la puerta de calle se accedía a una mampara y luego a dos grandes puertas de tres metros, con unos vidrios, confeccionadas en regia madera barnizada. Aparecía el gran espacio con un enorme dibujo de mosaicos, puesto piedra por piedra. Su visualización solamente podía hacerse desde lo alto, desde la galería con balaustrada del primer piso. En un gran rodeo, desde el suelo hasta el techo, había doce metros de altura. A partir de ahí, en la planta baja y en la superior, pasillos y habitaciones. Toda esa casa se construyó con materiales llevados a Chile desde Inglaterra, luego mi abuelo la adquirió. Bien. Yo había entrado a esa casa. A mi derecha estaba la escalera de veinte escalones forrados elegantemente con linóleo. Miré hacia arriba de las escaleras y, en el techo, comenzó a aparecer mi madre. Inconfundible, con sus zapatillas rosadas de casa, venía como bajando escalones en el aire, atravesando techo, cielo, muros y vigas, sin ninguna dificultad; tan bien, como si esta escalera tuviera en realidad treinta escalones, pero diez invisibles. Luego apareció su bata de andar en casa, de una tonalidad crema, que dejaba ver su camisón celeste. Continuó bajando, ya era perceptible el resto del cuerpo. Surgieron sus brazos extendidos, como queriéndome abrazar, hasta que finalmente se distinguió su rostro, con una mirada muy dulce; sus ojos azules también me abrazaban con la mirada. Siguió bajando, lentamente. Yo hice lo mismo, extendí mis brazos, y subí a su encuentro: "sigue tu sueño pasito a paso", me pareció oír. Creo que faltaban tres escalones para abrazarnos. Fue cuando desperté.

§

En la habitación contigua, se oían muchos gritos. Había gente con coronavirus. Como a las tres de la madrugada, llegaron dos jóvenes familiares.

La luz del pasillo, los cristales de la recepción y la puerta hacían de espejos. Pasó una cama, como la mía, cubierta con una sábana negra. Se notaba que debajo había un ser humano. Silenciosamente y con mucho respeto, miré la escena. Parecía en cámara lenta. Me despedí de esa persona. En mi mente daban vuelta las palabras de Molly: "Confía en Dios. Él nunca te fallará. No te abandonará".

Siento

Siento el dolor propio,
Ajeno, compartido.
Siento los gritos del alma:
Murmullos de paz y de olvido.

241

La noche se alarga
Como un amanecer sin destino...
Un cuervo grazna en lo alto...
Espera a otro que ha partido;
¿Quién pasa junto a mí?,
¿O soy yo mismo, en la imagen de un vidrio?
Su rostro: pálido, sin alma, sin brillo.
Está amortajado de infierno,
Mis ojos dicen ¡adiós!
Los del reflejo se despiden de mí,
Pero en silencio.

Nunca me había percatado del hecho de que mi reloj de pulsera avanzaba más rápido. Sonreí, más bien, reí sordamente con un sonido ahogado, opaco y diabólico. Como tambores de hechicerías africanas. Nuevamente, sentí desde lejos un gemido sordo y silencioso. Era yo mismo. Quise incorporarme en la cama, fue inútil, no pude. La muerte venía a visitarme. Ese sueño de los sueños, esa nada de la nada.

Con tranquilidad, paciencia y pavor, logré incorporarme un tanto. Extendí mis brazos para darle la bienvenida. Sentí una fuerza lejana, ajena, en mi codo derecho; una sacudida impertinente que venía a interrumpir mi encuentro final con la muerte. Ella, ahora y desde hace algunos días, era mi amiga. Pero debía continuar un proyecto alternativo y esperado de mi vida.

¡Desperté! Abrí mis ojos, vi sonriendo a una figura desconocida de algún sueño ajeno. Estaba sonriendo al pie de mi cama. *Yo seguí nervioso, muy nervioso, extremadamente nervioso.* Vivo o muerto, cuerdo o loco, nunca lo averiguaré.

§

Los médicos me avisaron que me darían de alta. Que el riesgo que yo corría por el coronavirus allí era extremadamente alto. Era un candidato número uno para el contagio.

Mi hijo había venido a buscarme: mascarilla y guantes, puestos en él y para que yo me pusiera. Muy precavido. Me monté en una silla de ruedas, ya que no me sentía muy fuerte y para evitar alguna lipotimia. Mi nuera nos esperaba en su coche afuera. Me despedí de la estatua del portalón a la entrada del hospital, la misma a la que había saludado a mi ingreso, cinco días antes; con la diferencia de que sí me guiñó el ojo. ¿Por qué? Nunca lo averigüé, así como tampoco contacté con Ale. Nada supe de si tenía o no pesadillas. Así es la vida. Un paso, una ilusión y la nada.

Primeramente, habíamos tenido que esperar a la enfermera, que preparara las indicaciones del alta que mi hijo firmó.

Kelele comenzó a sacarme el catéter que tenía en mi mano izquierda. Molestó un poco, pero lo logró. Cubrió el agujero con una gasa y cinta adhesiva de suturas color carne. Comencé a poner mi ropa y pertenencias dentro de mi mochila. Al poco pasar el tiempo, noté que el suelo estaba completamente mojado: mi sangre salía a borbotones. La fluidez de mi sangre se debía a las dos inyecciones diarias que, como he señalado, debía ponerme para, ya que permanecía mucho en cama, evitar pequeños coágulos. Esta inyección, le demostré a la enfermera española Ángela, sabía ponérmela. Y me dijo:

—¡Te doy el aprobado!

Esto permitió mi alta anticipada y evitar, de este modo, el contagio con la Covid-19. Kelele limpió y desinfectó todo. Luego sacó los medicamentos que yo traía desde casa, y que permanecían bajo seguridad de las enfermeras y sus respectivas llaves maestra. Abrió el cajón y fue poniendo los remedios en una bolsa de papel que trajo desde la farmacia con las inyecciones. Uno a uno, sin prisa, pero sin pausa. Finalmente me pasó, sin extrañeza alguna, el cuadrito con mi escudo heráldico. Lo miré, quedé meditabundo, ensimismado, ¡plop!, y lo único que pude precisar en mi mente, que se alejaba y regresaba con sonidos nítidos y claros, fue: "Confía en Dios, Él nunca te fallará. No te abandonará". Mi hijo se preocupó al verme el rostro desfigurado que a buen seguro llevaba, a pesar de la mascarilla que me había puesto por la pandemia. Vimos los pasillos y los ascensores llenos de gente con mascarilla, y miembros del personal sanitario apurados a diestra y siniestra. "¡Cómo está el patio!", señalé a mi hijo.

§

Ángela

Me estaba acordando de la enfermera española del hospital. No sé cómo, ni cuándo, ni por qué, me inspiró a escribir esto. Debe haber sido que ella hablaba español. Fue como un oasis lingüístico dentro de tanto padecimiento: idioma inglés, cáncer, Covid-19, soledad, falta de una mujer, ¡y vaya uno a saber qué más!

§

Me interné dentro de ese arcoíris producido por los reflejos ardorosos del amor oculto. Aquellos colores me entregaban multifacéticas formas de contacto celestial.

—¡Concédeme, oh Dios de las inmensidades, esa respuesta!, permíteme la felicidad. Así no puedo vivir, es mucha mi soledad. Te prometo conservar olvidado en mi memoria todo cuanto viva.

§

Seguí sus ojos con mi mirada, eran de un color *verdoso-apasionado*. Estaba tendida en su cama con el camisón de seda celeste pegado al cuerpo, como perteneciéndole. Una pierna descansando en el suelo y la otra sobre el lecho, en una escena deliciosa. Su sonrisa insinuante era manifiesta. Su cuerpo me atraía muchísimo: su cintura, sus formas, ese cabello negro, que ondulado, caía coquetamente sobre su hombro derecho.

Mi habitación estaba en penumbras, la claridad de la luna me permitía posesionarme de aquel cuerpo juvenil. En secreto, esos rayos de luz eran cómplices de nuestro idilio.

Platónicamente, la amaba todas las noches.

—Te quiero —le decía, pero ella callaba mientras le acariciaba las mejillas encendidas de infierno—. Ángela, te amo.

—¿Qué otro nombre podría darle, si era el que más se asemejaba a la inmensidad del cielo? Pero Ángela solo miraba. También me amaba, pero en silencio.

§

Sin ropas caminé por la habitación. Sus luciérnagas verdes me seguían con lentitud y brillo. Me miraba, nunca se cansaba de hacerlo.

—Ángela, te amo.

Ángela callaba. El silencio era su única respuesta y lo que me hacía enloquecer todas las noches. La mirada de sus ojos, su cabello y... no resistí más. Esa noche no permitiría que saliera el sol. Muy por el contrario, alargaría los segundos hasta hacerlos eternos y los aprovecharía fervientemente con Ángela. Nos amaríamos como siempre lo habíamos deseado, aunque, por temor a la locura, no me había atrevido a hacerlo. Ángela, por su parte, también convendría en que esa fuera nuestra noche.

De pronto me acerqué a ella y con una furia desbocada, la tomé entre mis brazos, apretándola fuertemente contra mi pecho. Sentí que trituraba su cuerpo. Rasguñé sus hombros, cuando hice caer al suelo violentamente su camisa de dormir. Ya desposeída de prendas, Ángela me pareció desnuda, sin alma, sin corazón. La puse sobre mi cama mientras, gradualmente, el sol invadía la habitación. Ahora, sin su camisón celeste, la figura de Ángela se hizo transparente: vestía mi cubrecama de terciopelo rojo. Aún conservaba esa sonrisa provocativa e insinuante, siempre con la pierna descubierta

246

apoyada en el lecho, descansando sobre mi cama. Su vida enmarcada se hizo para mí. Ángela me perteneció, pero ya no la amaba como antes.

El Señor me respondió.

§

—William, tengo muy buena memoria, y cuando prometo algo, lo cumplo. No sé dónde estás ahora. Pero acuérdate de que te dije: *si se puede, tengo la oportunidad o me dejan,* cuando estuve discutiendo con el narrador de *tercera persona,* el *omnisciente,* sobre algo insospechado y único que ustedes no habían tomado en cuenta. Pues me refería a las tres horas perdidas de tu vida, las de la operación. Te contaré, todo lo que vi.

Recordarás, seguro, que estuviste entretenido haciendo sudokus, cuando el Dr. Zeprin te dijo que debía ir a una reunión urgente, de quince minutos, más o menos, y que no tenía nada que ver contigo. Pues déjame decirte que te mintió. Yo lo seguí. Lo llamó urgentemente el jefe de cirugía del hospital, el que, en definitiva y cada mañana, da el visto bueno a cada operación. Resulta que los exámenes del corazón que te hicieron arrojaron un soplo cardíaco, por lo que se hacía indispensable que, por tu edad, estuviera un cardiólogo en el *teatro de operaciones.* Por esa razón tú no viste al Dr. Zeprin, él estaba dentro con el cardiólogo ultimando detalles. Tú los viste únicamente cuando un par de veces se abrió la puerta y te tenían con los anestesistas.

Cuando te quedaste dormido, te afeitaron la barriga, para sacarte todos los pelos y te pusieron un líquido desinfectante.

Te metieron al *teatro*, y comenzaron. Ajustaron las maquinarias, cada uno en sus responsabilidades. A una enfermera se le cayó una pinza, el Dr. Zeprin le lanzó una mirada de ogro. Ella puso las pinzas en un lugar para esterilizarlas luego y sacó otra. Procedieron a abrirte el ombligo al mismo tiempo que te hicieron un par de incisiones a cada lado, por donde introdujeron instrumentos. Comenzaron a echarte gas, tu abdomen se fue inflando. Te introdujeron el instrumental, estuvieron aspirando la sangre, cortando, cauterizando. Todo lo que hacían se veía en el monitor. En un momento, la enfermera a cargo de tus pulsaciones y respiración señaló:

—Está bajando peligrosamente el ritmo cardíaco.

—Inyectar de inmediato 1 mg de epinefrina —ordenó con firmeza el cardiólogo. Este medicamento lo tenían preparado con el Dr. Zeprin, sobre una mesa con instrumental esterilizado que estaba junto a ellos. Esto ocurrió dos veces. De igual modo se solucionó. Por eso duró algo más que una cirugía normal. Continuaron con la operación. Te sacaron por una puerta que daba acceso a una sala de cuidados intensivos posoperados. Pasó poco tiempo, y despertaste. El resto lo conoces. Como ves, no soy tan inútil; puedo contar lo que vi, sin conocer las emociones de los personajes. Pero mi trabajo es útil. Desconozco dónde estás ahora, pero deseo que estés bien. Igualmente podríamos vernos en otra oportunidad, espero que pronto y que sea mejor que en esta. Ya sin coronavirus. ¡Ojalá!

Si se puede, tengo la oportunidad o me dejan

FIN

A modo de posfacio

Sabéis de la infelicidad amorosa mostrada por mi amigo William a lo largo de su vida. Tal infelicidad se debe a una falta de interacción, comprensión y entendimiento de alguien que, además de amar físicamente, ama espiritualmente, todo en una trama muy bien hilada. Es esa combinación de lo físico y espiritual lo que mejor caracteriza esos amores, a veces difusos, a veces platónicos. Fortaleza y pasión.

Esta novela nos envuelve en las vivencias del protagonista, comprobado lo tenéis. Nos invita a los pecados, expiaciones y redenciones de él mismo, en la vida y en la muerte. Salvación y condena. Realidad y fantasía, dicha y desdicha.

Nos muestra un antes y un después. Amores y desamores, pasado, presente y futuro. Creencia en Dios / Alejamiento / Nueva creencia / Nuevo alejamiento, para definitivamente tener ese reencuentro final con **Él,** cuando le da una nueva oportunidad de vivir, ya sin sobresaltos, una paz eterna. Como lo habéis leído. ¿Esa vida en la eternidad? ¿Esa vida sublime?

El mismo autor os lo aclara al deciros:

Era una melodía suave, ininterrumpida, perfecta, sublime y, sobre todo, continua. No dejaba lugar al silencio para no interrumpir ese sueño. De pronto, el silencio, como el abrazo de una cadena a la que le falta un eslabón, el "eslabón perdido", aquella ininterrumpida y

*suave melodía despertó de su quietud soñada e hizo apa-
recer el espíritu del oyente subyugado por escucharla, o
del lector subyugado por leerla; el temor del silencio, el
pánico de la muerte, la pasión de la vida.*

Yo, Gnomo Jowal, más que un amigo suyo o un personaje
de fantasía dentro de la narración, soy la mismísima fantasía
personificada y la caricatura del protagonista, o quizás, su
alter ego.

Gnomo Jowal

.

Printed in Great Britain
by Amazon